Y0-AAZ-923

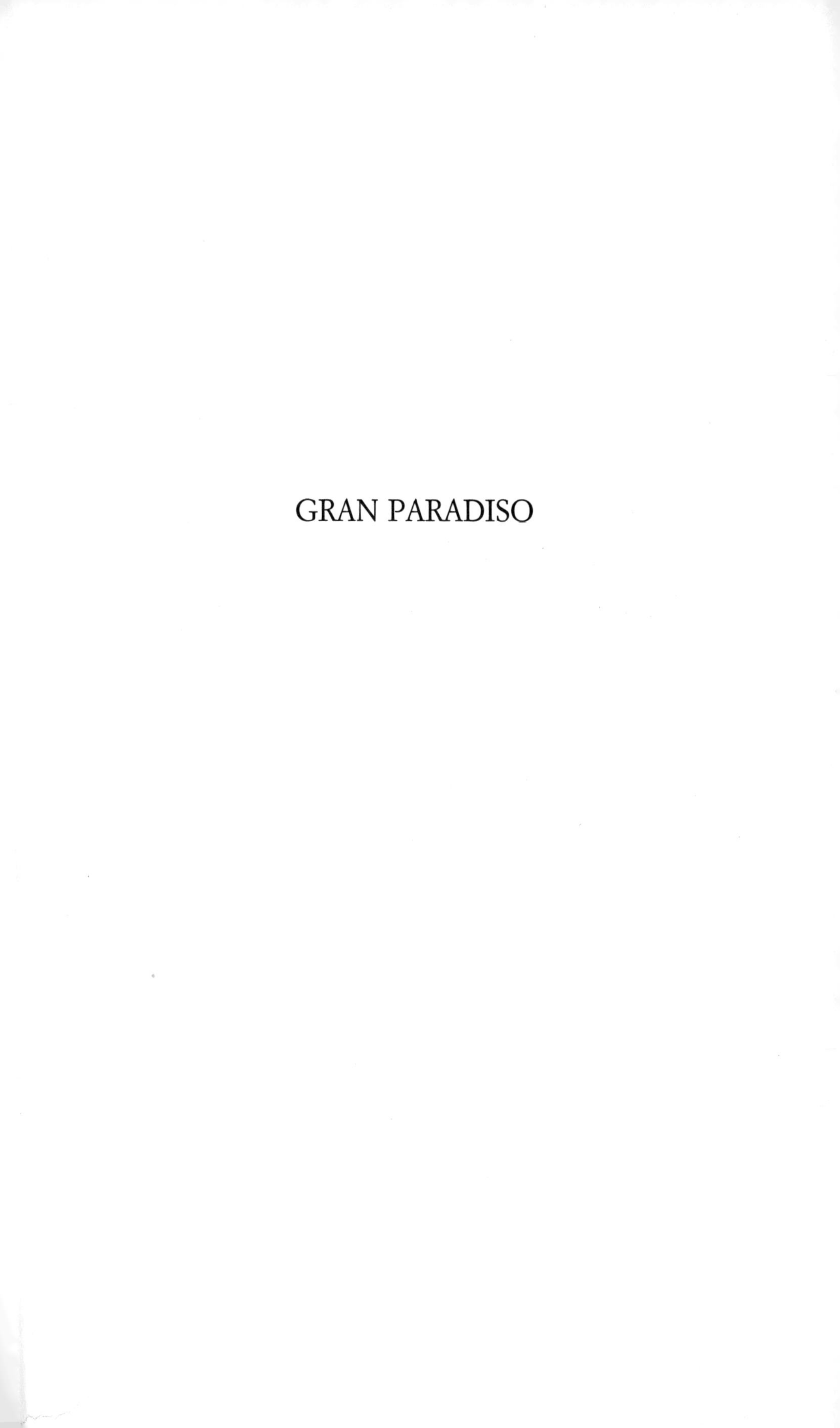

GRAN PARADISO

DU MÊME AUTEUR

Un été de canicule, 2003, rééd. 2018
Hors saison et autres nouvelles, 2018
Le Choix des autres, 2017
L'Homme de leur vie, 2001, rééd. 2017
Face à la mer, 2016 ; Pocket, 2018
Un mariage d'amour, 2002, rééd. 2016
Au nom du père, 2015 ; Pocket, 2017
À feu et à sang, 2014 ; Pocket, 2016
La Camarguaise, 1996, rééd. 2015 ; Pocket, 2017
La Promesse de l'océan, 2014 ; Pocket, 2015
Galop d'essai, collectif, 2014 ; Pocket, 2015
D'eau et de feu, 2013 ; Pocket, 2016
L'Héritier des Beaulieu, 1998, rééd. 2003, 2013 ; Pocket, 2016
BM Blues, 2012 (première édition, Denoël, 1993) ; Pocket, 2015
Serment d'automne, 2012 ; Pocket, 2013
Dans les pas d'Ariane, 2011 ; Pocket, 2013
Comme un frère, 1997, rééd. 2011 ; Pocket, 2014
Le Testament d'Ariane, 2011 ; Pocket, 2013
Un soupçon d'interdit, 2010 ; Pocket, 2015
D'espoir et de promesse, 2010 ; Pocket, 2012
Mano a mano, 2009 (première édition, Denoël, 1991) ; Pocket, 2011
Sans regrets, 2009 ; Pocket, 2011
Dans le silence de l'aube, 2008 ; Pocket, 2014
Une nouvelle vie, 2008 ; Pocket, 2010
Un cadeau inespéré, 2007 ; Pocket, 2008
Nom de jeune fille, 1999, rééd. 2007 ; Pocket, 2010
Les Bois de Battandière, 2007 ; Pocket 2009
L'Inconnue de Peyrolles, 2006 ; Pocket, 2008

(suite en fin d'ouvrage)

Vous pouvez consulter le site de l'auteur à l'adresse suivante : www.francoise-bourdin.com

FRANÇOISE BOURDIN

GRAN PARADISO

belfond

Belfond | un département **place des éditeurs**

place
des
éditeurs

À ma fille Frédérique, qui se souvient forcément d'un si triste jour de pluie à Cochin, du rire libéré aux Tournesols par un secours céleste dont nous devinons le nom, d'un 14 Juillet nautique dans les bras du flamant rose, des bulles de champagne aux Plumes et à la Corniche, des ours de Thoiry, de la Côte de Grâce et des quatre chats : bref, de ce drôle d'été 2017 qui n'en finissait pas de rebondir mais ne faisait pourtant que présager le drôle d'hiver qui allait suivre…

« Il y aura toujours un chien perdu, quelque part, qui m'empêchera d'être heureuse. »

Jean Anouilh, *La Sauvage*

1

— Comment as-tu pu imaginer que je te prêterais de l'argent ? ricana Xavier.

Se sentant en position de force, il en profita pour toiser son beau-fils. Ce dernier lui avait tenu tête durant tant d'années que le voir enfin demander quelque chose, et pouvoir le lui refuser, était somme toute réjouissant.

— Surtout pour un projet que je n'ai jamais approuvé ! ajouta-t-il.

— Je n'ai pas besoin de ton approbation, répliqua sèchement Lorenzo. C'est une affaire saine, viable, en pleine expansion.

— Si tu le dis…

La discussion ayant tourné court, Lorenzo se leva et gratifia Xavier d'un sourire froid mais poli.

— Avant de partir, je vais embrasser maman.

Lorsqu'il se détourna, il constata que Valère était entré sans bruit dans le salon. Il avait dû entendre l'essentiel des propos échangés et il affichait une moue exaspérée. Alors que Lorenzo passait devant lui, il murmura :

— Je te rejoins dans cinq minutes.

Une fois son demi-frère sorti, Valère interpella son père :

— Pourquoi es-tu si agressif avec lui ?

— Agressif ? Sûrement pas ! se rebiffa Xavier. Mais je ne marche pas dans sa combine. Quand je pense qu'il a utilisé tout son ridicule héritage pour…

— Ça le regarde, papa.

— Admettons. Pourtant, je reste persuadé qu'il a la folie des grandeurs et que son fameux parc le ruinera.

— Tu n'en sais rien.

— Je sais que je ne mettrai pas un sou là-dedans. Figure-toi que je dois préserver ton avenir et celui de tes sœurs. Et quand je serai à la retraite, je ne veux pas tirer la langue à cause d'investissements foireux.

Valère haussa les épaules avec insouciance.

— En tout cas, la prochaine fois, essaie d'être un peu plus gentil. Tu l'as à peine écouté, tu ne lui as même pas offert un café ! Tu le traites comme un étranger en visite et tu t'étonnes que…

— Rien ne m'étonne de sa part ! s'emporta Xavier.

Il parut regretter ses paroles et chercha aussitôt à se racheter.

— Si ta mère veut le garder à dîner, je n'ai rien contre.

Entre Lorenzo et lui, l'animosité était réciproque depuis toujours. Pour séduire Maude et l'épouser, Xavier avait été contraint d'accepter la présence de ce petit garçon de trois ans joli comme un cœur, mais il n'avait pas réussi à s'y attacher. Pressé d'avoir ses propres enfants, il avait laissé Maude s'occuper du gamin, et plus elle le dorlotait plus il se sentait agacé. Très vite, leur première fille était née, puis la seconde, et Xavier en avait éprouvé beaucoup de joie ; cependant il continuait d'espérer l'arrivée d'un garçon. La naissance de Valère l'avait enfin comblé et empli de fierté. Il avait un fils, il pouvait définitivement reléguer Lorenzo au dernier rang.

Lorenzo… Ce prénom l'agaçait, soulignant les origines italiennes de son beau-fils et évoquant désagréablement le premier mari de Maude, Claudio Delmonte, décédé dans un accident de voiture – il conduisait son Alfa Romeo à tombeau ouvert. Maude n'en parlait pas, néanmoins elle conservait de l'affection et de la complaisance pour tout ce qui lui rappelait l'Italie. Mais en épousant la ravissante jeune veuve, Xavier avait dû prendre aussi les souvenirs qu'elle gardait secrètement au fond de son cœur et cet encombrant bambin. En grandissant, Lorenzo avait développé un physique de jeune premier, ainsi qu'un caractère très affirmé. Le joli petit garçon, brun aux yeux bleus, était devenu un très bel adolescent épargné par l'acné, puis un superbe jeune homme ténébreux qui chavirait les filles.

Dès le début, Xavier avait décrété qu'il appellerait son beau-fils Laurent, prétendant que franciser son prénom l'aiderait à mieux s'intégrer dans la famille. Contrariée, Maude avait continué de dire « Lorenzo », imitée par ses enfants, que cette sonorité exotique charmait. Tout comme ils étaient fascinés par le mystérieux voyage annuel de leur demi-frère à Balme, dans le Piémont, où il allait voir son grand-père. Ils avaient longtemps fantasmé sur ce vieil original qui vivait seul avec ses chats dans une petite maison de village. À son retour, Lorenzo ne racontait presque rien, répondant aux questions par un sourire énigmatique. Il préservait ainsi sa part d'Italie des sarcasmes de son beau-père. Il consentait tout juste à confier à sa mère que, à peine débarqué sur le quai de la gare de Turin, il y trouvait chaque année un inconnu, toujours différent de celui de l'année précédente, qui lui mettait la main sur l'épaule en déclarant : « Tu es le petit-fils d'Ettore, hein ? Suis-moi. » L'inconnu l'emmenait à Balme et le remettait à son grand-père, qui ne conduisait plus. Celui-ci, au terme d'un séjour qui n'excédait pas le week-end, prenait une photo de Lorenzo avec son antique Polaroid. Il pouvait ainsi la contempler toute l'année avant de la confier au prochain convoyeur.

Assez vite, Xavier avait essayé de mettre Valère en concurrence avec Lorenzo, fondant de grands espoirs sur son fils. Malheureusement, Valère n'était pas un étudiant appliqué, ni un sportif assidu. Fantaisiste, sentimental et un brin paresseux, il n'éprouvait pas le besoin de se mesurer à Lorenzo, qu'il considérait avec autant d'admiration que d'affection. Leur écart d'âge de sept années laissait de toute façon peu de points de comparaison.

Les deux filles, Anouk et Laetitia, ne savaient pas trop dans quel camp se ranger. Elles aimaient leur père, et, si elles remarquaient sa sévérité envers Lorenzo, elles se laissaient convaincre que leur demi-frère était une forte tête. Pour preuve, les affrontements ne manquaient pas, faisant pleuvoir sur Lorenzo des punitions qui ne semblaient pas vraiment injustes. Privé de sortie ou d'argent de poche, voyant son portable confisqué ou son ordinateur bloqué, Lorenzo ne se plaignait jamais. Et comme pour donner tort à son beau-père, il récoltait des résultats scolaires excellents. Après son bac, obtenu avec mention, il avait préparé le concours de l'école vétérinaire avec un tel acharnement qu'il s'était classé parmi les premiers.

Xavier se savait partial et il en éprouvait parfois un certain malaise. Il aurait dû se réjouir des succès de son beau-fils, mais il n'y parvenait pas. Pour se rassurer, il se persuadait qu'il avait finalement rendu service à Lorenzo, qu'une éducation stricte avait contraint à travailler. Néanmoins, il avait bien conscience de son manque d'affection, voire de son antipathie pour le fils de sa femme. Celle-ci le lui avait parfois reproché, n'obtenant que des dénégations d'une parfaite mauvaise foi.

Aujourd'hui encore, ainsi que Valère venait de le lui faire remarquer, il avait tenu Lorenzo à distance, écoutant ses explications d'une oreille distraite, et pressé de le voir partir. De toute façon, l'affaire improbable dans laquelle son beau-fils s'était lancé quelques années plus tôt ne serait au bout du compte qu'un gouffre financier, Xavier en était persuadé. Étouffant un soupir, il reprit son journal, dont la visite de Lorenzo avait interrompu la lecture.

*

— Je ne peux pas rester dîner, maman, j'ai une longue route à faire pour rentrer chez moi.

Déçue, Maude s'apprêtait à insister, mais Valère fut plus rapide.

— Vu l'accueil, je comprends qu'il n'ait pas envie de s'attarder !

— Xavier a été désagréable ? s'enquit Maude, résignée d'avance.

— Il refuse de m'aider, c'est son droit.

— Tu avais besoin de beaucoup d'argent ?

— Mes financiers ne consentiront un nouvel investissement que si j'ai un apport personnel, même minime, pour preuve de mon engagement.

— Je suis désolée…, murmura Maude.

— Ne le sois pas. Je m'adresserai ailleurs.

Ailleurs, forcément, comme toujours, puisque Lorenzo ne pouvait pas compter sur le soutien de sa famille. Maude savait très précisément ce qu'allait lui dire son mari pour justifier son refus : qu'il ne croyait pas dans l'avenir de ce parc, que Lorenzo possédait un diplôme solide et pouvait tout à fait se débrouiller, qu'il était après tout le mieux loti de leurs quatre enfants. Certes… Mais aussi le plus déterminé, le plus brillant, sans doute le meilleur. Ce qu'elle se garderait bien de faire remarquer.

Lorenzo s'approcha d'elle et chipa l'une des tranches de pomme qu'elle était en train de disposer sur sa pâte.

— Toujours des tartes, jamais de pizza ! railla Valère.

Xavier avait banni des menus familiaux les pizzas mais n'était pas parvenu à exclure les pâtes, dont ils raffolaient tous. Maude avait appris de Claudio l'art de les accommoder à l'italienne pour en faire chaque fois un plat différent.

— Je prends quelques jours de vacances à la fin du mois, dit-il à Lorenzo, et je descendrai te voir.

— Tu es le bienvenu. Nous avons un adorable bébé girafon de deux semaines, tu vas craquer !

Valère s'esclaffa à ce rappel de son enfance. Il avait câliné pendant des années une girafe en peluche que Lorenzo lui avait offerte un soir de Noël. Pour acheter des cadeaux, comme il ne disposait que rarement d'argent de poche, Lorenzo faisait des petits boulots dès le mois de novembre. Le plus souvent, il choisissait d'offrir des animaux, en peluche, en porte-clés ou sur calendriers. Maude les avait tous gardés, et Xavier systématiquement « égarés ».

— Si tu veux, je t'emmène, suggéra Valère à sa mère.

— Ton père déteste se retrouver seul le soir dans un appartement vide, rappela-t-elle. Il rentre souvent fatigué, il a un travail fou à la pharmacie.

— Toujours mobilisé par sa croisade en faveur des médicaments génériques ?

Maude étouffa un petit rire avant d'enfourner sa tarte, puis elle se tourna vers Lorenzo, qu'elle contempla quelques instants en silence. Il la faisait craquer depuis toujours.

— Tu es maigre, tu as les cheveux trop longs…, dit-elle tendrement. Il n'y a donc personne pour veiller sur toi ?

Il ébaucha un geste impuissant puis la prit dans ses bras.

— Trouve le temps de venir me voir, murmura-t-il.

Elle en avait envie, il devait le savoir. Ses mauvais rapports avec Xavier en avaient fait un garçon renfermé, secret, mais sous sa carapace d'indifférence il était très sensible, et souvent en phase avec elle. Néanmoins, bien qu'il soit sans doute avide d'amour, aucune femme n'avait su le consoler d'une grosse déception sentimentale vécue à la fin de ses études, et à l'aube de ses trente-quatre ans il était toujours seul.

— Prends soin de toi, mon grand, et fais attention sur la route.

Un conseil répété comme un mantra. Mille fois elle s'était demandé ce qu'il serait advenu d'elle et de Lorenzo si Claudio ne s'était pas tué au volant de son Alfa. À l'époque, elle était très jeune, pleine de joie et d'énergie, débordante d'amour devant son adorable petit garçon. Auraient-ils continué à mener une vie heureuse et insouciante en Italie tous les trois ? Hélas, le deuil l'avait ravagée, la laissant sans force. En mettant Xavier sur son chemin, la Providence lui avait accordé une seconde chance. Si différente…

Elle suivit des yeux Lorenzo tandis qu'il sortait, puis reporta son attention sur Valère, à qui elle sourit.

— Et toi, mon chéri, tu restes dîner ?

— Bien sûr. Je sais que tu es toujours triste quand il repart.

— Il vit si loin d'ici !

— Je t'emmènerai, répéta Valère. Papa arrivera bien à se passer de toi le temps d'un week-end. Ou alors, qu'il vienne aussi !

Ils rirent ensemble à l'idée d'une éventualité aussi improbable.

*

Quelques heures plus tard, Lorenzo quitta la station d'essence où il venait de faire le plein et de manger un mauvais sandwich arrosé d'un café insipide. Il avait roulé une partie de la nuit, heureux de cette descente vers le Jura qui le ramenait chez lui. Mais après tous ces kilomètres d'autoroute, il lui restait encore un long trajet à parcourir, par des axes moins faciles.

S'il oubliait Paris et son beau-père dès l'instant où il refermait la porte de l'appartement familial, situé au-dessus de la pharmacie Cavelier, en revanche la pensée de sa mère restait présente bien plus longtemps à son esprit. Il espérait, sans trop y croire, que Valère réussirait à la convaincre de faire une petite escapade. Xavier ne s'était jamais donné la peine de visiter le parc, mais Maude était venue pour l'inauguration, quatre ans auparavant, et depuis elle y passait un week-end chaque printemps. Des moments privilégiés durant lesquels il pouvait lui montrer les derniers aménagements, les innovations, les travaux en cours. Il ne cessait d'améliorer l'accueil des visiteurs et le confort des animaux, sachant que le succès du site en dépendait.

Gagné par la fatigue, il baissa sa vitre pour faire entrer de l'air frais. Il aurait pu opter pour le train ou l'avion et louer une voiture à l'arrivée, mais il aimait conduire la nuit en laissant son esprit vagabonder. Ses meilleures idées, il les avait eues au volant, dans le silence de l'habitacle. Il n'écoutait ni la radio ni un CD, préférant réfléchir à tout ce qu'il allait entreprendre. Son parc le passionnait, était sa raison de vivre, et chaque jour il rendait grâce à son grand-père. Sans Ettore, un projet de ce genre n'aurait jamais pu aboutir. Car ce que la plupart des gens avaient qualifié d'« héritage décevant » s'était révélé un véritable trésor pour Lorenzo : quatre-vingt-dix hectares de friches qui n'étaient pas constructibles, même pas cultivables !

Un no man's land où proliféraient des ronces et de rares herbes folles, bref, des terrains sans valeur. Le malheureux Ettore Delmonte avait fait un investissement qui devait le rendre riche mais s'était révélé désastreux et avait englouti toutes ses économies. Jusqu'à sa mort, il avait continué à croire qu'il suffirait d'attendre pour réaliser un jour une belle opération foncière, mais l'endroit ne s'était ni développé ni peuplé, la station de sports d'hiver qui aurait dû ouvrir à proximité avait finalement ouvert ailleurs ; il s'agissait donc toujours d'un terrain vague, loin de la ville, qui avait préféré s'étendre à l'opposé.

Lorenzo, en se rendant sur place avec le notaire d'Ettore, avait su immédiatement ce qu'il allait faire : concrétiser son rêve le plus fou. Ce n'était pas un hasard s'il avait consacré sa thèse à la faune sauvage et aux animaux des zoos. À la fin de ses études et dès l'obtention de son diplôme de vétérinaire, il avait fait des stages successivement dans une réserve au Kenya, puis aux États-Unis dans le parc de San Diego, enfin au Québec dans le Zoo sauvage de Saint-Félicien. Durant ses vacances, il était allé observer les tigres blancs au zoo de Singapour, puis les loups dans celui de Schönbrunn, à Vienne. Son opinion sur les parcs animaliers ne variait pas : trop peu d'espace, en particulier pour les grands félins. Or il disposait de quatre-vingt-dix hectares, une surface bien plus importante que la plupart des parcs de France. Sur un tel domaine, il pouvait aménager un site exceptionnel.

Ce projet grandiose, qui semblait irréaliste au vu des capitaux à trouver, Lorenzo en avait souvent et longtemps discuté avec Julia, sa passion de jeunesse. Ils s'étaient rencontrés durant leurs études à Maisons-Alfort, étaient tombés sous le charme l'un de l'autre et avaient vécu une belle histoire. Sortis tous deux brillamment de leur cursus, ils avaient toutefois opté pour des voies différentes.

Lorenzo était impatient de voyager alors que Julia refusait de quitter la France : elle ne voulait pas s'éloigner de sa mère, malade. Peu à peu, les longs stages de Lorenzo aux quatre coins du monde avaient lassé Julia, qui ne se satisfaisait pas de ses trop brefs retours. Elle l'écoutait raconter ses expériences, comprenait son enthousiasme, mais elle se sentait délaissée. Lorsqu'elle s'était décidée à rompre, Lorenzo avait été anéanti. Pour lui, elle était la femme de sa vie, et il avait sincèrement cru que quelques mois de séparation ne remettraient pas en question leur avenir. Afin de ne pas tout à fait la perdre, il avait accepté de rester son ami ; cependant, il ne s'était jamais consolé de leur échec. Du coup, il avait cessé ses voyages et commencé à chercher des investisseurs pour monter son parc. Après plusieurs mois de démarches, son dossier avait réussi à convaincre un grand groupe bancaire et il s'était lancé à corps perdu dans l'aventure.

Bien entendu, Xavier avait vertement critiqué ce qu'il appelait *la folie inconséquente* de Lorenzo. Pourquoi son beau-fils ne se contentait-il pas de soigner des chiens et des chats ? Était-ce la déception quant à cet héritage ridicule qui le poussait à entreprendre n'importe quoi ? Il finirait criblé de dettes et définitivement discrédité ! Maude essayait de défendre son fils en invoquant son amour des animaux sauvages ; alors Xavier ricanait et rappelait que Lorenzo aurait pu se faire embaucher dans un zoo au lieu d'exiger d'avoir le sien, comme un gosse capricieux.

En réalité, Lorenzo avait mûrement réfléchi à ce projet, certes pharaonique, mais qui pouvait se révéler rentable en quelques années, ainsi qu'il l'avait démontré à ses commanditaires. Il débordait d'énergie autant que d'idées novatrices, et surtout il était persuadé qu'il saurait lui aussi conquérir le grand public, à en croire l'engouement pour tous les parcs zoologiques où l'on pouvait approcher au plus près la faune sauvage. Quoi de plus exaltant qu'observer des lionceaux jouant avec leur mère, des tigres arpentant d'un pas chaloupé leur territoire avant de se coucher paresseusement au soleil, des ours polaires nageant dans une eau glaciale, ou encore les premiers émois d'un girafon peinant à se dresser sur ses longues jambes ? Les parents appréciaient autant que leurs enfants ces visites en famille et au grand air. Lorenzo avait décidé que dans « son » parc il n'y aurait ni manèges ni attractions, rien qui évoque une fête foraine, afin que toute l'attention, y compris celle des plus petits, se concentre sur le spectacle des animaux dans la nature. Pour cela, s'inspirant de ce qu'il y avait de mieux chez ses concurrents, il avait dessiné sur ses plans des tunnels en verre ou des passerelles métalliques à bonne hauteur permettant de traverser les vastes enclos des félins, toute une route goudronnée à emprunter en voiture pour serpenter au milieu du parc comme un ranger en Afrique du Sud, une immense véranda prolongée d'un jardin d'agrément pour la restauration, ainsi qu'une clinique vétérinaire parfaitement équipée. Une deuxième tranche de travaux prévoyait des petites maisons de bois aux larges baies vitrées pour accueillir les familles le temps d'un week-end.

Les normes de sécurité avaient été l'obsession de Lorenzo, ce qui l'avait aidé à convaincre les compagnies d'assurances. Il s'était également débrouillé pour obtenir le soutien de la Région en faisant valoir le développement touristique et les retombées qu'on pouvait attendre d'un tel site. Car s'il était impossible d'urbaniser ces terrains, en revanche on avait le droit de les consacrer à la faune et à la flore, dans le strict respect de l'écologie.

Et un beau jour, les tractopelles et les engins de chantier étaient arrivés sur les friches léguées par Ettore. Dès lors, Lorenzo n'avait connu aucun répit. Surveiller l'aménagement, créer des buttes, des fossés et des plans d'eau, installer une nouvelle végétation, délimiter l'emplacement des clôtures, dont certaines devaient être électrifiées, superviser la construction des divers bâtiments consacrés aux animaux et à la gestion du parc : tout cela représentait une tâche à plein temps. Durant des mois, il avait passé ses journées les pieds dans la boue, courant d'un endroit à l'autre, et ses soirées au téléphone ou devant son ordinateur, en conférence avec des zoos européens et des réserves africaines pour dénicher les animaux qui viendraient peupler le parc, dans le cadre de la préservation et de la reproduction des espèces menacées. Puis il avait recruté une équipe de soigneurs professionnels à l'issue de longs entretiens. Bref, un travail de titan, couronné par un trac démentiel le jour de l'ouverture.

Le public avait été au rendez-vous, d'abord peu nombreux puis s'accroissant au fil des mois. Après les inévitables tracas et incidents des premières semaines, chacun avait trouvé sa place, et désormais la mécanique était bien rodée. Mais Lorenzo restait vigilant, toujours levé à l'aube et prêt à tout surveiller, tout vérifier. En tant que fondateur et directeur, il portait sur ses épaules la responsabilité du parc, il en avait conscience : en cas de problème, ce serait à lui de rendre des comptes.

L'année précédente, il avait eu une surprise à la fois bonne et mauvaise. Julia, qu'il n'avait jamais revue depuis leur rupture, s'était enfin manifestée. Par hasard, elle avait lu l'annonce passée par Lorenzo dans une publication professionnelle, et ainsi découvert qu'il cherchait un vétérinaire. Elle était toute disposée à venir travailler avec lui, ravie par la perspective de tout ce qu'elle pourrait apprendre à ses côtés. Depuis qu'ils s'étaient séparés, elle avait occupé plusieurs postes sans vouloir monter son propre cabinet. Et justement, elle venait d'accomplir un remplacement au zoo de Vincennes qui lui avait ouvert de nouveaux horizons – quelle heureuse coïncidence ! Évidemment, Lorenzo avait craqué. Ils s'étaient entendus sur un contrat prévoyant à la fois du travail effectif et une part de formation. Tout s'était réglé par téléphone, et, trois semaines plus tard, Julia avait débarqué.

Se retrouver devant elle avait été un choc pour Lorenzo. Elle était encore plus jolie que dans son souvenir, plus épanouie et plus sûre d'elle. Ses cheveux châtains étaient courts à présent, sa silhouette restait élancée et ses grands yeux sombres brillaient du même éclat. Ce jour-là, elle portait un jean moulant, un polo rose sous une polaire bleue et des tennis qui lui donnaient une allure très juvénile. Il lui avait fait visiter le parc, déstabilisé de la sentir de nouveau à ses côtés, puis il l'avait invitée à dîner et ils s'étaient raconté leurs vies. Alors qu'il était en train de retomber sous son charme, elle lui avait assené qu'elle serait heureuse de pouvoir le considérer comme son ami, ce qu'il lui avait d'ailleurs promis d'être à l'époque de leur séparation, même s'ils n'avaient pas eu l'occasion de vivre cette amitié puisqu'ils s'étaient perdus de vue. Leur passé amoureux ne devrait en aucun cas interférer dans leurs rapports professionnels, qu'elle espérait néanmoins chaleureux. Elle comptait se consacrer au travail en attendant de rencontrer l'amour. En le disant, elle avait ri, comme pour se moquer d'elle-même. Puis, plus sérieusement, elle s'était soudain confiée. Elle voyait défiler les années et elle s'interrogeait sur une éventuelle envie de fonder un foyer, d'avoir des enfants. Sa mère était décédée trois ans auparavant après une très longue maladie, et Julia se sentait parfois seule. Voilà pourquoi elle avait souvent bougé ces derniers temps. Elle n'était pas certaine de vouloir se fixer, peut-être parcourrait-elle le monde à son tour, mais, en attendant, travailler dans le parc de Lorenzo représentait un bon compromis.

En l'écoutant, il avait très bien compris qu'il ne l'intéressait plus en tant qu'homme. Sur un plan sentimental, il appartenait à ses souvenirs de jeune fille, d'étudiante, désormais il n'était plus pour elle qu'un ami, un confrère. Beau joueur, il avait su dissimuler sa déception et s'était promis de rester loyal envers elle. Ainsi, les premiers mois de leur collaboration s'étaient bien déroulés. Julia apprenait vite, elle semblait même regretter de ne pas s'être intéressée plus tôt aux animaux sauvages, comme Lorenzo l'avait fait tandis qu'elle restait clouée à Paris pour ne pas laisser sa mère seule. Elle appréciait particulièrement l'intelligence des singes ou des éléphants, se méfiait des félins et des loups, écoutait toujours avec attention l'avis des soigneurs. Dès le deuxième mois, Lorenzo avait pu lui confier des responsabilités, ce qui lui permettait de libérer du temps pour se consacrer à l'administration du parc. Néanmoins, il supervisait son travail, ce dont elle ne prenait pas ombrage. Lors des réunions matinales entre vétérinaires et soigneurs, elle le laissait inscrire toutes les directives sur les grands tableaux sans jamais contester ses décisions.

En somme, tout allait bien, jusqu'au moment où Julia commença à sourire et à plaisanter trop souvent avec le chef animalier, Marc, qui dirigeait l'équipe d'une quinzaine de soigneurs. C'était un homme de quarante ans, grand et athlétique, qui possédait une bonne expérience. Lorenzo l'avait embauché dès la création du parc, conquis par son calme, son sérieux et ses références. Marc adorait son métier, il le faisait bien, et il prenait le temps de discuter patiemment avec chacun. Quand ses apartés avec Julia étaient devenus plus fréquents, Lorenzo avait deviné qu'ils se plaisaient. La suite allait de soi : ils s'étaient mis à sortir ensemble.

Voir la femme qui lui avait brisé le cœur quelques années plus tôt – et dont il était toujours secrètement amoureux – tomber sous le charme d'un autre homme avait été une épreuve pour Lorenzo. Il s'interdisait tout commentaire, n'avait pas pris Marc en grippe et ne boudait pas Julia. Il ne cherchait même pas à les éviter quand il les voyait partir en fin de journée, bras dessus, bras dessous, mais il était malheureux. Car il avait espéré, malgré tout, reconquérir un jour Julia. Il en avait rêvé, se l'était promis, avait cru que le temps passé à travailler ensemble finirait par jouer en sa faveur, et jamais il n'avait imaginé qu'entre-temps elle tomberait dans les bras d'un autre. Condamné à les avoir quotidiennement sous les yeux, il n'avait hélas pas d'autre choix que de feindre l'indifférence et de se taire.

Se taire, comme il l'avait si souvent fait dans sa jeunesse, et comme il y était encore contraint alors qu'il avait conquis sa liberté d'homme.

*

Valère goûta le vin et fit un signe d'assentiment au serveur.

— Tu devrais l'aimer, dit-il à sa sœur.

Il avait commandé du condrieu, un blanc frais et parfumé, pour faire plaisir à Laetitia, qui n'appréciait pas le rouge.

— Aide-moi à convaincre maman, reprit-il. Elle a envie de m'accompagner, et surtout elle a besoin de s'aérer un peu. Mais bien entendu papa ronchonne, comme chaque fois qu'il est question de Lorenzo.

— Comment va-t-il ?

— En pleine forme, à ce qu'il m'a semblé. Toujours à courir après des financements, et toujours seul dans la vie.

— Il ne fréquente que des animaux, dit-elle en soupirant.

— Et aussi les milliers de gens qui défilent chez lui.

— Des familles, pas des femmes seules.

Elle savoura deux gorgées du condrieu avant d'attaquer sa sole meunière. Une fois par mois, ils déjeunaient en tête à tête dans une brasserie. Loin de leurs parents, ils pouvaient parler à bâtons rompus. De Lorenzo, bien sûr, de leur sœur, Anouk, qui progressait dans sa carrière de chef cuisinier, et aussi de leurs vies. Laetitia avait obtenu le diplôme de docteur en pharmacie au bout de six laborieuses années d'études, entreprises sans conviction pour faire plaisir à son père. Finalement, ce métier lui plaisait, mais elle avait choisi de l'exercer loin de la pharmacie paternelle, et elle avait trouvé une place dans un autre quartier de Paris. Elle vivait avec un gentil garçon, Yann, professeur d'histoire dans un lycée, avec lequel elle tentait, sans succès jusqu'ici, de faire un enfant. Cet échec ne l'empêchait pas encore de profiter de la vie, néanmoins l'inquiétude se profilait insidieusement.

— Papa a recommencé à me harceler, lâcha-t-elle. Que je ne veuille pas reprendre sa pharmacie quand il sera en âge de passer la main est au-delà de sa compréhension.

— Il remet ça sur le tapis ?

— Tu sais comme il est obstiné…

— Buté, oui ! Tu ne veux pas, un point c'est tout. J'imagine le calvaire de la passation de pouvoir, il serait sur ton dos jusqu'à son dernier souffle.

— De toute façon, je n'ai aucune envie d'acheter une officine. Trop compliqué, trop cher. Et surtout pas à Paris. Yann aimerait être muté du côté de Brest, il rêve de retrouver sa Bretagne adorée.

Elle en riait volontiers ; toutefois, Yann avait su lui faire apprécier les charmes de sa région natale et elle était prête à l'y suivre.

— Je vais me retrouver avec une sœur au nord-ouest et un frère au sud-est ? s'insurgea Valère. Vous ne me facilitez pas la vie ! Heureusement qu'Anouk ne parle pas de s'en aller.

— Elle le fera un jour ou l'autre, crois-moi. Elle finira par vouloir sa propre affaire, et pour ça elle ira s'installer en province.

Délibérément, afin de ne pas la gêner ou la distraire, ils ne déjeunaient pas dans le restaurant où Anouk travaillait et était en train de s'illustrer comme un jeune chef très prometteur.

— Alors, maman n'aura plus que moi pour se changer les idées, soupira Valère.

Songeur, il considéra Laetitia durant quelques instants. Leur fratrie avait emprunté des chemins si différents ! En ce qui le concernait, il gagnait bien sa vie dans une boîte de conseil où il se plaisait. Il aimait Paris, les sorties, les femmes, les derniers gadgets technologiques. Son ambition consistait surtout à s'amuser, il ne rêvait pas de faire fortune en se tuant au travail.

— J'ai une idée ! s'exclama-t-il soudain. On devrait descendre tous ensemble pour l'anniversaire de Lorenzo. On pourrait prévoir une petite fête là-bas, et si on présente ça comme une réunion de famille papa sera bien obligé de laisser partir maman.

— Pourquoi pas ? Poser un ou deux jours n'est pas un problème pour moi, mais Yann aura peut-être plus de mal à se libérer.

— Vois ça avec lui et rappelle-moi en fin de semaine pour qu'on s'organise.

La perspective d'une escapade dans le Jura le réjouissait beaucoup. Il allait pouvoir essayer sa nouvelle voiture, bêtifier devant le girafon dont avait parlé Lorenzo, offrir un week-end agréable à sa mère, et peut-être faire des rencontres. Parmi les employés du parc, il y avait une jolie jeune femme qu'il avait repérée lors de sa précédente visite ; il aimait bien draguer pour se prouver qu'il pouvait séduire, cette fille ou une autre ferait l'affaire. Lorsqu'il avait dix ou douze ans, il était ébloui par le succès de Lorenzo auprès des femmes ; il était alors en admiration devant son grand frère, et plus tard il n'avait eu de cesse de l'égaler, sans pour autant le jalouser.

À la fin du repas, il partagea l'addition avec Laetitia, selon leur habitude, et il regagna à pied les bureaux de la société de conseil en stratégie pour laquelle il travaillait.

*

Malgré toutes ses bonnes résolutions, Lorenzo était impatient. Julia lui avait demandé si elle pouvait passer chez lui en fin de journée, ce qui était très surprenant puisqu'ils se voyaient quotidiennement. D'autant plus qu'elle avait utilisé le singulier, signifiant ainsi qu'elle viendrait seule. Il se gardait bien d'anticiper le but de sa visite, mais son cœur battait plus vite quand il arriva chez lui.

La petite maison où il vivait se situait à quatre kilomètres du parc, et c'était l'habitation la plus proche qu'il ait pu trouver. Il la louait à un fermier pour une somme modique et l'avait meublée sommairement car il y passait peu de temps. N'ayant pas l'autorisation de construire autre chose que des installations professionnelles dans le parc, il n'avait pas pu s'y loger. Toutefois, dans la partie administrative, il avait aménagé au-dessus de son bureau un local confortable où il pouvait dormir et se doucher en cas de besoin. Les soigneurs, eux aussi, disposaient d'une grande pièce de repos où passer éventuellement la nuit si un animal posait un problème particulier, maladie ou mise bas. Depuis qu'un rhinocéros avait été abattu dans un parc des Yvelines – on avait scié et volé sa corne –, tous les zoos étaient en alerte et avaient instauré une surveillance nocturne. Lorenzo restait donc souvent sur place et rentrait de plus en plus rarement chez lui.

D'un coup d'œil, il s'assura que le séjour était en ordre puis vérifia qu'il avait de la bière au frais. Mais était-ce encore l'une des boissons favorites de Julia ? Ses goûts avaient peut-être changé, il ne savait plus grand-chose d'elle à présent. Depuis qu'elle sortait avec Marc, il évitait de trop rire ou bavarder avec elle, même en tant que simples et bons amis.

Il entendit sa voiture freiner sur les graviers de la cour, une portière claquer, et il alla l'accueillir sur le seuil.

— Quelle longue journée ! s'exclama-t-elle en souriant.

Une série de vaccinations sur des pélicans l'avait mobilisée durant des heures, et elle semblait fatiguée.

— Viens t'asseoir, suggéra-t-il. Que veux-tu boire ? J'ai de la bière ou…

— Un grand verre d'eau me suffira.

Il partit chercher deux cannettes de Perrier et dénicha un paquet d'amandes grillées au fond d'un placard. En revenant, il la trouva affalée dans un fauteuil, les jambes par-dessus l'accoudoir.

— Tu te tiens toujours aussi mal, plaisanta-t-il.

Une référence à leurs années sur le campus de Maisons-Alfort. Ils étaient alors logés de façon spartiate dans les studios individuels de la résidence A, s'y recevaient à tour de rôle et prenaient tous leurs repas au Grisby, le foyer des étudiants. Une période bénie où ils avaient été très studieux, très amoureux, très heureux. Lorenzo s'en souvenait comme des meilleures années de sa vie, et il revoyait encore Julia assise par terre en tailleur, perchée sur un rebord de fenêtre ou se balançant dangereusement sur une chaise.

— Tu dois te demander pourquoi j'ai voulu te voir seul, loin de toutes les oreilles indiscrètes du parc ?

Il acquiesça, mais il était occupé à l'observer. Ici, chez lui, il pouvait la contempler sans que quiconque surprenne un regard trop tendre ou un sourire trop complice. Malgré ses yeux cernés, il la trouvait incroyablement jolie. Mais elle ne faisait plus partie de sa vie, elle en aimait un autre et elle ne se blottirait plus jamais dans ses bras.

— J'attends un enfant, annonça-t-elle d'une toute petite voix.

Il reçut la nouvelle comme un uppercut. Il avait beau connaître et respecter sa liaison avec Marc, il s'apercevait que contre toute logique il lui était resté une petite lueur d'espoir au fond du cœur.

— C'est… eh bien, c'est une bonne nouvelle, réussit-il enfin à dire.

— Tu le penses vraiment ?

Elle le scrutait, inquiète. Avait-elle compris qu'il ne la regardait pas seulement comme une *amie* depuis qu'elle travaillait avec lui ?

— Oui, répondit-il, se reprenant.

Sa mauvaise foi lui rappela celle de Xavier lorsqu'il affirmait sans honte bien aimer son beau-fils. Non, il ne se réjouissait pas de savoir que désormais la vie de Julia était inéluctablement et durablement liée à celle de Marc. Allaient-ils se marier, décider de quitter le parc pour vivre ailleurs ? Même s'il n'avait pas réussi à reconquérir Julia, il n'avait pas réussi non plus à y renoncer. Une foule de souvenirs lui revint brutalement en mémoire. Julia sous la pluie lors du méchoui de fin d'année, le soir où il l'avait remarquée parmi toutes les étudiantes. Julia courant à travers le campus, perdant une chaussure et se mettant à jurer comme un charretier, Julia qui sautait du lit à quatre heures du matin pour réviser, Julia ivre au petit jour après avoir dansé toute la nuit lors du gala annuel. Si jolie, si gaie…

— Tu dois faire attention à toi, maintenant. Ne te mets plus en danger avec aucun animal.

— Je ne le fais jamais, protesta-t-elle d'un air étonné.

Il n'avait rien trouvé d'autre à dire, ses pensées tournaient en boucle, incohérentes.

— Tu fais une tête d'enterrement, Lorenzo…

— Ah bon ? Non, je suis juste épuisé. Vivement la fermeture annuelle. J'imagine que tu es heureuse ? Et Marc aussi ?

— Oui !

La réponse avait fusé, franche et spontanée. Lorenzo parvint à sourire et déclara qu'il allait boire à la santé des futurs parents.

— Pas toi, bien sûr, mais moi, je me sers une vodka.

Il avait besoin d'un remontant, et c'était le seul alcool fort qu'on pouvait trouver dans sa maison. Le temps de retourner à la cuisine, de respirer à fond pour se calmer, et il revint avec à la main un verre généreusement rempli.

— Que comptez-vous faire ? s'enquit-il. Vous marier ? Continuer à travailler ici ?

— Marc se plaît tellement dans ton parc que je ne me vois pas lui demander de partir !

— Tu en aurais envie ?

— Pas pour l'instant. Mais, plus tard, je pense que ce sera compliqué de rester. Nous sommes assez isolés, un peu loin de tout, des crèches, des écoles…

— Je vois.

Il voyait surtout qu'elle allait s'en aller un jour, que peut-être il ne la reverrait jamais, ce qui était presque pire que d'avoir son bonheur sous les yeux.

— L'arrivée de… du bébé est prévue pour quand ? Il faudra que je trouve une remplaçante ou un remplaçant : comme tu l'as constaté, ton poste n'est pas superflu !

— Tu as le temps de t'organiser, je ne l'ai su que mardi. Mais j'étais pressée de te l'annoncer, je ne voulais pas que tu l'apprennes par Marc, qui ne va pas pouvoir s'empêcher de le crier sur les toits. Il est tellement fier, tellement content !

— Il peut, lâcha Lorenzo malgré lui.

Il espéra n'avoir pas mis trop d'amertume dans ces deux mots.

— En attendant, Julia, ménage-toi. S'il y a des choses que tu ne veux pas faire ou si tu te sens mal, bipe-moi aussitôt.

Soudain, il eut envie qu'elle s'en aille. Il fit un pas vers la porte, espérant qu'elle comprendrait son désir d'être seul, mais elle l'arrêta en levant la main.

— Attends ! Tu es mon meilleur ami, quelqu'un qui compte beaucoup pour moi. Marc ne l'ignore pas, d'ailleurs je ne lui ai rien caché de notre aventure de jeunesse. Est-ce que tu accepterais d'être le parrain ?

La question lui parut incongrue, absurde. Julia lui offrait ainsi une sorte de lot de consolation qui lui faisait horreur. Au moins autant qu'être qualifié d'*aventure de jeunesse.*

— Je ne sais pas, Julia… C'est une responsabilité, et j'en ai déjà trop ! Merci de ta… de votre confiance. On en reparlera si tu veux bien.

Elle le scruta durant quelques instants, le mettant à la torture, puis elle se leva enfin et vint vers lui les bras tendus.

— Je suis contente d'avoir eu cette conversation avec toi. Je te verrai demain matin, passe une bonne soirée.

Elle se serra contre lui pour l'embrasser sur les deux joues et il eut le temps de respirer son parfum, une eau de toilette légère à laquelle elle était restée fidèle toutes ces années. Parvenant à ne pas prolonger l'étreinte, il s'écarta pour la laisser partir. Ensuite, il attendit d'entendre le bruit du moteur de sa voiture s'éloigner puis s'éteindre. Il resta un moment immobile, hagard, furieux contre lui-même. Que d'efforts il avait dû accomplir pour demeurer amical et serein ! Et d'où lui venaient cette sensation de jalousie imbécile, cette impression d'être dépossédé ? Le sang italien qui coulait dans ses veines s'échauffait vite, depuis toujours il luttait contre son influence.

— Ressaisis-toi, abruti, articula-t-il à mi-voix.

Mais il savait déjà qu'il serait incapable de rester chez lui ce soir et il décida de retourner au parc. Il passerait la nuit là-bas après avoir fait un grand tour de surveillance pour se changer les idées. Arpenter les allées obscures, sa torche à la main, parviendrait peut-être à l'apaiser. Demain matin, il verrait les choses sous un autre jour, trouverait le courage de féliciter Marc et de se tenir à distance de Julia. Mais parrain ? Jamais.

2

— Ne le prends pas mal, ma chérie, mais c'est un peu agaçant d'entendre chanter ses louanges en permanence ! En revanche, si j'émets la moindre remarque, tu boudes.

Maude leva les yeux au ciel et ferma sa valise d'un coup sec.

— Je ne boude pas. Je constate seulement que dès qu'il est question de Lorenzo, tu trouves toujours quelque chose de désagréable à dire.

— Eh bien, oui, peut-être… Ce n'est pas comme s'il était parfait, n'est-ce pas ? Fêter son anniversaire à cinq cents kilomètres d'ici est une idée d'égoïste.

— Une idée de Valère, figure-toi. Pour faire une surprise à Lorenzo.

— Il n'a rien trouvé de mieux que t'obliger à descendre dans le Jura ?

— Je ne m'y sens pas obligée, j'y vais par plaisir. Anouk et Laetitia y seront, avec Yann. Si tu acceptais de venir, nous serions tous réunis.

— Je ne peux pas quitter la pharmacie.

— Tu peux très bien la confier à ton préparateur, il a l'habitude et tu as confiance en lui. Mais tu ne veux pas venir, avoue-le.

Devant l'évidence, Xavier resta silencieux. Pas question pour lui de se déplacer jusque dans le Jura, jusqu'à ce maudit parc dont il entendait trop souvent parler, ni de voir son beau-fils parader dans son rôle de « responsable » de toute cette faune hétéroclite et dangereuse.

— Quand rentreras-tu ? se contenta-t-il de demander.

— Lundi soir. Valère nous a réservé des chambres dans un petit hôtel sympathique, du côté de Saint-Claude.

Tout en répondant à son mari, elle avait consulté sa montre.

— Valère ne va plus tarder, ajouta-t-elle avec un sourire.

— Peut-être aura-t-il le temps de prendre un petit café avec nous ?

— Non, il ne va pas chercher à se garer, il m'attendra en double file.

Xavier soupira ostensiblement, pour bien marquer sa déception.

— Bien... Alors, il ne me reste plus qu'à te souhaiter un bon séjour...

— C'est une fête de famille et tu nous manqueras, répliqua-t-elle.

— Pas à Laurent, j'en suis persuadé.

Ils se mesurèrent du regard durant quelques instants.

— Lorenzo aurait pourtant été heureux de te montrer tout ce qu'il a réussi à créer.

— Comme un gosse exhibe ses jouets ?

— Oh, Xavier !

Soudain, elle eut les larmes aux yeux, et il s'en voulut de la peine qu'il lui faisait.

— Ne sois pas triste, chérie. Allez, tu me connais, tu sais bien que nous nous sommes toujours chamaillés, Laurent et moi. Ça ne m'empêche pas de l'aimer, et après tout, je l'ai élevé.

— De l'aimer ? répéta-t-elle d'un ton incrédule.

— Oui. Même si tu ne le vois pas. Il a réussi ses études et je l'estime pour cela. Mais ensuite, il s'est perdu dans ses chimères. Souviens-toi que j'ai essayé en vain de l'en dissuader, justement parce que j'ai de l'affection pour lui. Il ne m'a pas écouté, d'ailleurs il ne m'a *jamais* écouté, tant pis pour lui. Peut-être l'as-tu trop souvent soutenu contre moi. Il te faisait du charme, il jouait à l'Italien pour t'émouvoir, il...

— Mais il *est* italien ! protesta-t-elle.

— À moitié seulement. Et à moitié français par toi, ce qu'il oublie volontiers. J'aurais préféré qu'il s'intègre mieux à notre famille, qu'il me manifeste un peu de tendresse au lieu de me rejeter.

Il arrangeait l'histoire à sa façon, et peut-être ne la croyait-elle pas, mais au moins il avait dit ce qu'il fallait pour se dédouaner et pour la faire douter. Alors qu'elle allait lui répondre, deux notes en provenance de son téléphone signalèrent un message.

— Valère est en bas, annonça-t-elle.

— Je porte ta valise jusqu'à l'ascenseur.

Ce départ le contrariait pour de bon. Qu'allait-il faire pour occuper le week-end ? Tout un dimanche et un lundi matin à errer dans l'appartement vide, à manger froid, à ruminer. C'était toujours Maude qui leur concoctait un programme intéressant, comme aller voir une exposition, un film ou une pièce de théâtre, elle qui invitait leurs amis à tour de rôle et préparait de délicieux menus. Femme d'intérieur accomplie, elle avait pris en main tout ce qui n'était pas la pharmacie. Leur existence était bien réglée, elle l'avait peu à peu réorganisée quand leurs enfants les avaient quittés, l'un après l'autre, pour mener leurs vies d'adultes. De son côté, Xavier avait su gérer leur patrimoine : à l'heure de la retraite, ils pourraient s'acheter une résidence secondaire, à la campagne ou au bord de la mer, et y passer tout le temps qu'ils voudraient. Un avenir serein, en somme. Avec peut-être, bientôt, des petits-enfants ? Mais il était prématuré d'y songer : Xavier comptait exercer son métier encore quelques années. Il attendrait que Valère, Anouk et Laetitia soient mariés, installés. Pour son beau-fils, il s'en fichait, celui-là pouvait bien sombrer dans des dettes abyssales, il n'obtiendrait pas un sou. Qu'il ait eu le culot de venir demander une aide financière dépassait l'entendement. Ou alors, comme prévu, il était aux abois. Auquel cas il tenterait sans doute d'attendrir sa mère, mais Maude n'avait aucune économie personnelle. Lorsqu'il l'avait rencontrée, elle vivait sur le peu de choses que Claudio Delmonte avait laissées derrière lui et elle songeait sérieusement à rentrer en France pour y trouver du travail, son gamin sous le bras. Xavier était tombé au bon moment, il avait réussi à la rassurer, puis à lui plaire et à se faire aimer d'elle. Mais le petit garçon avait été, depuis le premier jour, un caillou dans sa chaussure. Il avait pressenti, lucide, qu'il ne parviendrait pas à s'y attacher parce qu'il était comme un corps étranger dans sa relation avec Maude. Jamais elle ne pourrait oublier son passé à cause de ce souvenir vivant, et il y aurait toujours un peu de son premier mari entre eux. Xavier s'était lancé dans l'aventure quand même, trop amoureux pour s'arrêter à cet obstacle, mais il avait présumé de ses forces en imaginant qu'il s'habituerait à l'enfant et qu'il finirait par se l'approprier. C'était tout le contraire qui s'était produit, il l'avait rejeté malgré lui, partagé entre exaspération et culpabilité. La quinzaine d'années de cohabitation qui avait suivi n'avait rien arrangé. Aujourd'hui encore, savoir que Maude se faisait une joie de le retrouver suffisait à le contrarier.

Il traversa l'appartement, ouvrit l'une des fenêtres donnant sur la rue. En bas, Valère mettait la valise de sa mère dans le coffre, qu'il claqua joyeusement. Puis il s'installa au volant de son coupé et manœuvra pour se glisser dans le flot de la circulation. Bien qu'ayant trouvé une place pour se garer, il n'avait donc pas eu envie de monter embrasser son père, tout au plaisir de l'escapade. Xavier se sentit à la fois vexé et peiné. Mais Valère était son fils, sa fierté, et il ne lui en voudrait pas longtemps.

*

Lorenzo éclata de rire devant l'agressivité du bébé tigre, âgé d'à peine deux mois, qui subissait son premier contrôle vétérinaire. Le petit animal, aussi mignon qu'une peluche, feulait et montrait ses crocs minuscules comme un grand.

— Il ne sera pas commode, remarqua le soigneur avec un large sourire.

— « Elle », précisa Lorenzo. C'est une tigresse, et tu as raison, elle semble avoir un sacré caractère ! Comment allez-vous l'appeler ?

La tradition voulait que ce soient les équipes de soigneurs qui choisissent le nom des animaux qui naissaient au parc.

— Pour une fille, nous pensions à Wendy, annonça Marc, qui était entré dans le local au moment de la pesée.

Lorenzo leva les yeux vers lui et acquiesça, tout en se demandant si Marc songeait déjà à un prénom pour l'enfant que Julia allait lui donner. Cette idée était si pénible qu'il se détourna. En quelques gestes précis, il injecta la puce électronique qui permettrait d'identifier l'animal tout au long de sa vie.

— Mesurez-la et rendez-la vite à sa mère, Wendy est en pleine forme.

Une règle absolue était de manipuler le moins possible les animaux. Le contact s'établissait à la voix pour les habituer à l'humain et éventuellement faciliter les soins, mais on n'exigeait rien d'eux, et surtout pas des grands félins, trop dangereux pour être approchés. Lorenzo insistait sur ce point avec toutes ses équipes, répétant qu'ils n'étaient pas dans un cirque, qu'ils ne préparaient aucun autre spectacle que celui d'animaux qu'on faisait vivre au plus près de leur état naturel pour préserver toutes les caractéristiques de leur espèce : instinct de chasse ou de fuite, hiérarchie au sein d'une meute ou d'une famille, recherche de nourriture. Dans ce but, on cachait parfois des fruits pour que les primates les cherchent, et on accrochait des quartiers de viande en hauteur pour que les lionnes fassent un peu d'exercice.

L'objectif du parc était la reproduction, puis l'échange avec d'autres zoos afin d'éviter la consanguinité. Ainsi, certains animaux partaient pour laisser la place à de nouveaux arrivants, et les soigneurs vivaient parfois la séparation avec émotion. Lorenzo, ainsi que les autres vétérinaires, ne nouait pas les mêmes liens avec les animaux : eux, armés de leurs seringues douloureuses, étaient des humains effrayants.

— On te demande à l'entrée du parc, ajouta Marc.

— Qui ?

— Mystère.

— *Mystère* ?

— L'accueil n'a pas précisé, mais ça n'a pas l'air d'être une mauvaise nouvelle.

— Comme si je n'avais que ça à faire…

Lorenzo quitta la salle de soins, vaguement agacé. Il n'avait pas croisé Julia depuis la réunion matinale où se précisait le planning de la journée, et c'était très bien ainsi. La voir le moins possible l'empêcherait de trop y penser. Il sauta dans la petite voiture de service qu'il utilisait pour se déplacer d'un bout à l'autre du parc et se rendit à l'accueil, croisant les nombreux visiteurs qui arpentaient les allées. La fréquentation était en légère augmentation, mais encore bien éloignée des objectifs que Lorenzo s'était fixés. Alors qu'il descendait de voiture et cherchait du regard qui avait bien pu l'appeler ici, une voix familière l'interpella :

— Salut, vieux frère !

Il découvrit Valère qui lui faisait signe depuis un guichet, et à côté de lui leur mère, rayonnante.

— Vous êtes là ? Pourquoi ne m'avez-vous pas prévenu ?

— J'ai tout organisé, et plus encore…

D'un geste triomphal, Valère désigna Laetitia et Yann, qui s'étaient tenus à l'écart pour ménager la surprise.

— Vous êtes venus tous les quatre ? s'émerveilla Lorenzo.

Sincèrement ému, il alla les embrasser à tour de rôle tandis que Valère ajoutait, très fier de lui :

— Et Anouk arrive ce soir ! Avoue que je me suis bien débrouillé, hein ? Tout ce branle-bas de combat pour ton anniversaire, alors que trente-quatre ans, c'est insignifiant. Tu n'auras plus l'âge du Christ, voilà tout.

Il plaisantait, heureux de voir le plaisir qu'il procurait à Lorenzo.

— Ne t'inquiète de rien, précisa Maude, nous avons des chambres à l'hôtel, et nous avons réservé une table dans un bon restaurant pour le dîner. Tu n'avais rien de prévu, j'espère ?

— Non, rien du tout.

— Tant mieux, parce que nous sommes ici pour tout le week-end !

— C'est vraiment un beau cadeau d'anniversaire que vous me faites. Venez avec moi.

Il leur fit franchir le contrôle et suggéra qu'ils s'égaillent à travers le parc selon leurs envies.

— Je ne peux pas rester avec vous, mais profitez-en. Je vais mettre les bouchées doubles pour me libérer de bonne heure.

Un coup d'œil à sa montre lui apprit qu'il était déjà quinze heures. Valère avait dû partir tôt et rouler vite.

— Toi, dit-il en prenant son frère par les épaules, je t'emmène admirer les girafes, et après je t'abandonne.

Il l'entraîna dans une allée, et, dès qu'ils se furent un peu éloignés des autres, il murmura :

— Merci, Valère… J'imagine que réunir tout le monde n'a pas été facile ?

— Avec un peu de bonne volonté, on y arrive. Mais bien sûr, papa n'a pas voulu suivre, tu le connais.

Lorenzo ravala de justesse la réplique cinglante qu'il avait failli lancer. La plupart du temps, il évitait de critiquer Xavier devant ses sœurs et son frère, par respect pour eux.

— De toute façon, maman est beaucoup plus détendue quand elle peut te voir sans lui. Elle redoute vos affrontements.

— Nous n'en avons plus guère, ricana Lorenzo. D'ailleurs, je n'aurais jamais dû lui demander de me prêter de l'argent. Je savais qu'il refuserait. Peut-être avais-je besoin de l'entendre une fois de plus me dire non.

Valère lui jeta un petit regard en coin avant de déclarer :

— Je ne peux pas t'aider, et crois-moi, je le regrette. Je claque tout ce que je gagne, je suis un vrai panier percé. C'est bien dommage, parce que ce que tu fais ici est fantastique. Tout le monde devrait participer ! Moi le premier…

Ils étaient arrivés devant l'enclos des girafes, qui mangeaient paisiblement un énorme panier de feuilles accroché en hauteur.

— Le petit est là, à droite, caché par les jambes de sa mère. Tu le vois ?

— Qu'il est mignon ! s'exclama Valère en sortant son téléphone dernier cri pour prendre des photos.

Lorenzo le laissa à sa contemplation et partit en hâte vers la clinique vétérinaire, où un certain nombre de tâches urgentes l'attendait. Quand il en ressortit, deux heures plus tard, il chercha sa mère pour s'assurer qu'elle n'était pas trop fatiguée après son long voyage en voiture et son après-midi au grand air. Il la trouva devant le territoire des singes, dont elle observait les acrobaties de branche en branche.

— Le parc fermera dans une heure, lui expliqua-t-il. Si tu veux, tu peux aller te reposer un peu dans mon bureau.

— J'ai encore beaucoup de choses à voir, mais ça attendra demain, admit-elle. Je compte passer la journée à me promener ici et à découvrir toute seule les nouveautés.

— Demain, d'accord. Pour le moment, viens avec moi. J'ai bien arrangé l'endroit où je passe tout mon temps, y compris la plupart de mes nuits. Je ne…

— Ma parole, c'est Julia ! l'interrompit-elle.

Elle désignait la jeune femme qui venait à leur rencontre et qui s'arrêta net en les apercevant.

— Julia ! Quel bonheur de te revoir ! Comment vas-tu ? Tu as l'air en pleine forme, tu es absolument radieuse.

Pendant qu'elles s'embrassaient, Lorenzo expliqua très vite, pour prévenir tout malentendu :

— Julia travaille ici depuis quelques mois et…

— Mais tu ne m'avais rien dit ! Alors, finalement, vous vous êtes retrouvés, tous les deux ? J'ai toujours su que vous étiez faits…

— Maman, s'il te plaît.

L'interruption ferme de Lorenzo la fit soudain douter, et elle les dévisagea l'un après l'autre.

— Désolée, finit-elle par murmurer. Pour les gaffes, je suis la reine.

Un mensonge qui se voulait une excuse, car en général elle était plutôt diplomate.

— Alors, que deviens-tu ? demanda-t-elle en s'adressant à la jeune femme.

— Lorenzo m'a embauchée et je suis très heureuse de travailler avec lui, j'apprends énormément. Par ailleurs je… eh bien, je pense me marier bientôt.

Ayant mis les choses au point avec sa franchise habituelle, Julia eut un sourire éblouissant.

— Félicitations, bredouilla Maude.

Elle n'osait pas regarder Lorenzo, qui dut la prendre par le bras pour la faire avancer tandis que Julia s'éloignait dans la direction opposée.

— J'ai parlé trop vite, j'espère que tu ne m'en veux pas. En la voyant, j'ai bêtement cru que vous vous étiez remis ensemble.

— Après tout ce temps, c'était peu probable.

— Pourtant, tu l'aimes encore, n'est-ce pas ? Ne me dis pas le contraire, je le vois dans tes yeux.

— Peu importe ! Elle a choisi quelqu'un de bien, et, comme tu as pu le constater, elle est heureuse.

— Mais pourquoi a-t-elle voulu travailler ici, dans ton parc, si ce n'était pas pour te retrouver ?

— À ce moment-là, elle cherchait un poste de ce genre, après une très bonne expérience à Vincennes.

— J'ai du mal à le croire. Je pense qu'elle te cherchait, toi.

— Ôte-toi ça de la tête. Nous sommes des amis, rien de plus, c'est elle qui en a décidé ainsi. Et maintenant, elle attend un enfant. Alors, sois gentille, ne me parle plus d'elle.

Il aurait voulu lui cacher sa déception, mais elle le connaissait trop bien et elle avait facilement deviné qu'il n'était pas détaché de cet amour de jeunesse qui avait tant compté pour lui. Il la conduisit jusqu'à un endroit interdit aux visiteurs, où se trouvait une grande maison de bois et d'ardoises abritant les locaux administratifs du parc.

— Ici, le bureau de la comptabilité, là, la salle des archives, expliqua-t-il en lui faisant traverser les locaux du rez-de-chaussée, et enfin, mon repaire. Tout ça n'était pas terminé la dernière fois que tu es venue.

Une vaste pièce éclairée par deux baies vitrées était meublée d'un côté par un grand bureau, et de l'autre par une table d'architecte où s'étalaient des plans.

— Tu es au cœur du parc, c'est de cet endroit que je gère l'ensemble des problèmes en cours et des projets d'avenir.

Placés à l'écart, un canapé, deux fauteuils et une table basse composaient un coin salon.

— Je peux aussi recevoir mes investisseurs, mes partenaires, des confrères étrangers...

Les murs étaient ornés de photos d'animaux, soigneusement encadrées, que Lorenzo désigna avec fierté.

— Certains sont même nés ici ! D'autres sont partis ailleurs pour fonder leurs familles, mais ils ont tous compté pour moi. Viens par là…

Il l'entraîna vers un escalier en colimaçon qui conduisait à l'étage.

— J'ai fini par obtenir le droit d'aménager une partie des combles, et j'y passe plus de temps que chez moi.

Elle découvrit une vaste chambre mansardée où se trouvaient un lit et des étagères supportant de nombreux livres.

— La porte du fond donne sur une salle de bains, si tu veux te rafraîchir.

— En somme, tu vis ici ? demanda-t-elle en désignant les vêtements épars qui traînaient sur un fauteuil.

— Presque. Même quand le parc est fermé au public, en plein hiver, nous continuons à travailler.

— Donc, tu ne te changes jamais les idées ? Tu ne sors pas, tu ne reçois pas, tu n'as pas de vie privée, tu restes dans ton microcosme ?

— C'est ma vie, maman, et je n'en souhaite pas d'autre.

— Sauf que tu risques de finir comme un vieux loup solitaire. Par certains côtés, tu me rappelles Ettore.

Il eut un sourire attendri, car il ne gardait que de bons souvenirs de son étrange grand-père.

— Je lui dois tout ça.

— Tu ne le dois qu'à toi, les terres étaient sans valeur.

— La preuve que non.

Dégageant ses vêtements du fauteuil, il lui fit signe de s'asseoir.

— Il adorait la nature, tant qu'il a pu conduire il s'offrait de longues balades dans le parc du Gran Paradiso. Mais, les dernières années, il était vraiment handicapé par les rhumatismes, alors il ne se déplaçait plus, c'étaient ses vieux amis qui venaient à lui.

— Tu m'inquiétais quand tu me disais ne pas savoir quel inconnu irait te chercher à la gare. Je lui ai téléphoné une fois pour en discuter avec lui et il m'a envoyée sur les roses. Il ne me pardonnait pas d'avoir refait ma vie, d'avoir eu d'autres enfants, il trouvait que j'avais remplacé Claudio bien vite. D'après lui, j'aurais dû continuer à porter le deuil et venir vivre sous son toit. Tu imagines ? J'étais jeune, j'avais d'autres idées en tête que m'enterrer avec un vieux monsieur pas commode. Bref, il ne voulait plus avoir affaire à moi, sa seule exigence était de te recevoir une fois par an pour s'assurer que tu grandissais bien. Comme si j'allais te maltraiter !

Elle prit place dans le fauteuil puis releva la tête et planta son regard dans celui de son fils. Il comprit qu'elle allait profiter du court moment d'intimité qu'ils partageaient pour lui poser une question très personnelle.

— Est-ce que tu lui racontais tes rapports… difficiles avec Xavier ?

— Non, maman. Prononcer son nom aurait été une sorte de blasphème. Que je puisse avoir un beau-père le révoltait. De toute façon, il ne me posait pas de question, il m'avait dit une fois que je pouvais me confier à lui, et ses paroles étaient définitives, il ne se répétait pas. Il préférait me parler de mon père, comme un devoir de mémoire, et là aussi c'était chaque fois une anecdote différente, un détail nouveau. Il n'a jamais rabâché, il voulait m'apprendre à le connaître, sachant que je n'en avais que trop peu de souvenirs. Alors, il me montrait des photos, il possédait un tas d'albums…

Sentant que l'émotion le gagnait, il s'interrompit. Au bout de quelques instants, il déclara qu'il devait retourner travailler.

— Oui, file, je vais me reposer un peu. Mais une chose m'intrigue, Lorenzo, qu'as-tu fait de ses affaires après son décès ?

— Je n'avais pas de chez-moi et je ne me voyais pas rapporter tout ça à l'appartement, Xavier en aurait fait une maladie ! Alors, j'ai demandé au notaire de tout liquider sur place. Les meubles, la vaisselle… Je n'ai gardé que les albums, sa montre, et un portrait de lui peint par un ami lorsqu'il était jeune.

Il désigna un pastel qu'elle n'avait pas remarqué jusque-là. Se levant, elle s'en approcha pour l'examiner et fut parcourue d'un frisson.

— On dirait Claudio, murmura-t-elle. Ils se ressemblaient beaucoup…

Plongée dans sa contemplation, elle resta immobile un moment, et lorsqu'elle se retourna Lorenzo n'était plus là.

*

Anouk jeta un coup d'œil à la salle de bains puis vint tâter le matelas. Bon, ce n'était pas un hôtel de luxe, mais tout était propre, correctement entretenu, et elle allait s'en contenter. À la réception, on lui avait appris que les autres étaient bien arrivés et aussitôt repartis se promener. Sans doute au parc, où ils avaient dû se précipiter. Il était trop tard pour les y rejoindre, et Anouk décida de les retrouver directement au restaurant. Cette escapade lui faisait du bien, elle passait trop de temps derrière des fourneaux. La proposition de Valère était tombée à pic, elle avait besoin d'air. Depuis quelques mois, elle réfléchissait à l'opportunité de monter sa propre affaire. Un premier restaurant rien qu'à elle, où elle ferait ses preuves en son nom propre. Elle avait assez travaillé pour d'autres, elle devait se lancer maintenant.

Elle sortit de son sac de voyage le cadeau destiné à Lorenzo, un petit bronze animalier représentant un lion couché. Il allait adorer ! Penser à lui la fit sourire. Elle l'appréciait vraiment et se demandait, avec le recul, pourquoi elle n'avait pas pris plus souvent sa défense. Leur père avait été injuste avec lui, elle ne l'avait réalisé qu'une fois arrivée à l'âge adulte. Avant, comme toutes les adolescentes, elle avait surtout été préoccupée d'elle-même, et ensuite l'école hôtelière l'avait accaparée. Aujourd'hui, elle comprenait bien des choses. En particulier qu'il était avec elle le seul membre de la famille à avoir une passion et à être assez déterminé pour tout lui sacrifier. Comme elle, il savait exactement ce qu'il voulait, où il allait. Comme elle, il était un bourreau de travail. Ces similitudes les rapprochaient depuis deux ou trois ans, et, bien que n'ayant pas l'occasion de se voir, ils se téléphonaient régulièrement ou passaient un petit moment sur Skype, très tard le soir, amusés de se retrouver par ordinateurs interposés.

Anouk ne s'intéressait pas aux animaux, même si elle admettait que voir un tigre de près procurait une forte émotion. À ce titre, elle se réjouissait de visiter le parc dès le lendemain, mais elle repartirait dimanche matin, pressée de rentrer. Pourtant, elle vivait seule, n'ayant jamais cherché l'âme sœur au-delà de brèves aventures. S'encombrer d'un partenaire lui semblait un obstacle à ses ambitions. Jusqu'ici, elle s'était contentée de louer des studios meublés, proches des restaurants où elle avait travaillé successivement, d'abord à Versailles, puis à Lyon et enfin à Paris. Elle connaissait tous les secrets des grands établissements, des tables de prestige, et malgré sa jeunesse, puisqu'elle n'avait que trente et un ans, elle pensait avoir acquis une bonne réputation dans son métier.

Elle prit une douche puis enfila un pantalon noir, un pull crème à col boule, des boots à talon. Passant la moitié de sa vie en blouse et en toque, elle finissait par ne plus se soucier de ses vêtements, se limitant à des achats très basiques, mais en passant devant la glace en pied elle se jeta un coup d'œil. Elle était jolie, on le lui disait, malgré un nez qu'elle jugeait un peu long, et des taches de rousseur qu'elle n'aimait pas. Sa mère s'amusait de constater qu'elle avait donné naissance à des enfants si différents, Lorenzo étant très brun, Valère et Laetitia blonds, et Anouk plutôt rousse. Pour sa part, Maude avait des cheveux couleur de miel, dont quelques-uns blanchissaient et qu'elle avait commencé à teindre.

Il était presque vingt heures, le moment de retrouver sa famille dans ce restaurant que Valère avait choisi pour sa proximité, afin qu'ils n'aient pas à conduire sur des routes en lacets au retour. Il avait bien précisé à Anouk qu'il ne s'agirait pas d'un gueuleton, se méfiant du jugement trop professionnel de sa sœur. Mais elle ne s'en inquiétait pas : Valère possédait un sens inné de l'organisation dès qu'il était question de faire la fête, et il avait sûrement déniché un endroit agréable. La plupart des restaurateurs de la région travaillaient sans doute avec des produits frais, et elle se réjouissait de découvrir ce qu'ils en faisaient.

*

Lorenzo était arrivé en retard, ayant dû récupérer en catastrophe un bébé gorille qui avait été pris au milieu d'une bagarre d'adultes. Assisté de Julia, il avait passé plus d'une heure à soigner le petit animal jusqu'à ce qu'il soit tiré d'affaire et placé au repos, isolé du groupe.

Quand il rejoignit enfin sa famille au restaurant, Valère lui mit une coupe de champagne dans la main en lui souhaitant un joyeux anniversaire.

— Au succès de ton parc et à tes amours ! ajouta-t-il avec un clin d'œil.

En l'attendant, il s'était concerté avec Anouk pour choisir le menu, une terrine maison à la confiture d'oignons, des Saint-Jacques aux écrevisses, un plateau de fromages composé de comté, de morbier et de bleu de Gex, enfin une assiette gourmande. Maude s'épanouissait au milieu de ses enfants trop rarement réunis, et elle jubilait de constater leur bonne entente. Xavier, malgré son injustice flagrante, ne les avait pas dressés les uns contre les autres, et Lorenzo faisait partie intégrante de la fratrie ; il y tenait même un rôle privilégié d'aîné ayant réalisé ses rêves.

Au moment du dessert, Anouk s'éclipsa vers la cuisine, où elle comptait discuter avec le chef. Lorenzo en profita pour s'accorder un aparté avec Valère.

— Je suis convoqué par mes financiers lundi après-midi, pour une réunion qui sera sûrement houleuse. Alors, toi qui es spécialiste de la stratégie, si tu pouvais me donner quelques conseils…

— Tout dépend de ce que tu veux obtenir.

— Qu'on me fiche la paix, répondit Lorenzo en riant, mais ça, ce serait trop demander. En fait, si nous sommes d'accord sur l'objectif de rentabiliser le parc, qui coûte très cher en fonctionnement, en revanche nous divergeons sur la manière d'y parvenir. Pour me différencier de mes concurrents, je souhaite que les animaux conservent au maximum les caractéristiques de leur espèce. Par exemple, l'otarie est très joueuse, c'est vrai, mais mieux vaut l'observer en train de s'amuser librement avec ses congénères plutôt que de la montrer à heures fixes faisant un numéro réglé avec un dresseur. Rien que ce mot m'incommode.

— « Dresseur » ?

— Oui ! Même avec la méthode douce de la récompense. Les liens qui se tissent entre l'homme et l'« animal sauvage », expression que j'utilise là en opposition avec « animal domestique », ne sont pas naturels. Dix générations plus tard, que subsistera-t-il de leur comportement initial ? Prends les girafes, qui galopent volontiers, mais seulement à condition d'avoir la place nécessaire, ce qui est rarement le cas. Les dauphins ne peuvent pas être heureux dans un bassin trop étroit alors qu'ils sont faits pour les grands fonds. Et ainsi de suite. Nous sommes obligés d'avoir des barrières, des fossés, des clôtures électriques et des vitres incassables pour mettre le public à l'abri du danger, mais au-delà de ces protections tout à fait indispensables, je ne veux pas d'ingérence dans les lieux de vie des animaux.

— C'est ça qui va provoquer des tensions dans ta réunion ?

— Absolument. En tant que directeur d'un parc zoologique, je vais avoir du mal à défendre mon projet, parce que je risque de rebuter un public privé des spectacles bien orchestrés dont il raffole. Mais d'un point de vue vétérinaire, la conservation des espèces telles qu'elles sont me tient à cœur. Je te cite un dernier exemple, le pire à mes yeux : le tigre. On le rentre la nuit, comme les autres fauves, or sa nature est plutôt nocturne. De jour, il a sommeil. Néanmoins, comme c'est un excellent sauteur, grâce à ses pattes arrière plus longues que les antérieures, on est obligés d'entourer son enclos de très hauts grillages, terminés par des pointes tournées vers l'intérieur. Là-dedans, il a l'air aussi désespéré qu'un prisonnier au fond d'un camp ! Je n'ai pas envie de montrer ça, mais les gens veulent voir des tigres, et les voir de près, qu'ils soient heureux ou pas.

— Lorenzo, tu n'es pas dans une réserve en Afrique, mais dans un parc ouvert aux visiteurs, sur le sol français.

— Je sais ! Et je sais aussi que le seul moyen de sauvegarder certaines espèces est d'intéresser le plus large public possible. Je ne suis pas un illuminé, Valère, je sais le prix des choses et j'accepte des compromis. Mais j'ai mes limites. Et je pense qu'on peut faire autrement tout en ayant du succès.

— Ce sera compliqué de convaincre ceux qui veulent un retour rapide sur investissement, comme tes financiers. Du côté des institutions, tu peux espérer un peu plus de patience, mais ils surveilleront de près le nombre des entrées, qui doit augmenter en proportion des moyens mis en œuvre.

— Donc, si tu pouvais m'aider à peaufiner mes arguments…

Valère resta silencieux quelques instants, le front plissé par la réflexion.

— Bon, si tu en fais une question d'éthique, tu as perdu d'avance, ils te riront au nez. Le fric et la morale ne marchent pas ensemble, je suis persuadé que tu le sais. Ta seule chance serait de présenter ton projet comme différent des autres parcs, une spécificité qui te distingue de tes concurrents et qui garantisse ta renommée, donc l'affluence. Au moins, vous voulez la même chose, à savoir que les gens se pressent ici. Vous ne divergez que sur le moyen d'y parvenir.

— Absolument !

De l'autre côté de la table, Maude s'inquiétait de les voir discuter à voix basse comme des conspirateurs.

— Vous ne voulez pas nous faire profiter de votre conversation ? lança-t-elle à ses fils.

— Nous parlons de détails techniques, répondit Lorenzo avec un sourire d'excuse.

— Nous sommes venus pour te changer un peu les idées, protesta Laetitia.

— Tu as raison, admit-il. Parlez-moi donc de vous et de vos vies de citadins.

— Peut-être plus amusantes que ta vie d'ermite, répliqua sa sœur. Même si, dans la pharmacie où je travaille, je t'avoue qu'il ne se passe pas grand-chose.

— Moi, c'est le contraire, intervint Yann, dans mon lycée il se passe toujours quelque chose, hélas ! Et je changerais volontiers mon existence contre la tienne, Lorenzo. Ici, tu fais ce que tu veux, et puis tous ces animaux sont vraiment magnifiques, émouvants, j'ai été séduit. Veiller sur eux est une belle cause.

— Apprendre l'histoire aux jeunes générations aussi, non ?

— Pas tous les jours ! s'esclaffa Yann.

Lorenzo savait qu'il avait demandé sa mutation en Bretagne et qu'il ne se plaisait pas à Paris.

— Je viens d'avoir une conversation très intéressante avec notre hôte, les interrompit Anouk en reprenant place à table. Il m'a expliqué comment il travaille les morilles, pourquoi il utilise le crémant du Jura, et de quelle façon il met le comté en feuilleté.

— À toi, plaisanta Lorenzo, on ne te dit pas que tu es obsessionnelle ?

Ils échangèrent un clin d'œil complice, sachant qu'ils étaient les deux seuls de la famille à être vraiment passionnés par leur métier. Comme il était presque minuit, Maude suggéra qu'il était temps d'aller se coucher.

— On te rejoindra au parc demain dans la matinée, et on déjeunera sur place.

— Tu fais de la restauration rapide ? s'enquit Anouk avec une petite grimace amusée.

— J'ai donné la concession à un professionnel, c'est lui qui gère. On peut avoir un plat chaud ou froid, des desserts, et tous les produits utilisés proviennent de producteurs locaux. Pour les familles qui préfèrent apporter leur pique-nique, elles peuvent également s'installer sous la verrière ou dans le jardin, selon le temps.

En sortant du restaurant, Lorenzo consulta sa messagerie téléphonique, mais le soigneur resté pour surveiller le bébé gorille n'avait pas cherché à le joindre. Donc tout allait bien, et même s'il n'avait pas très envie de rentrer chez lui, retourner au parc n'était pas nécessaire.

— Je vais penser à ce que tu m'as demandé, lui dit Valère avant de monter en voiture. Il faut vraiment établir une stratégie avant ta réunion. Ou bien… Peut-être vaudrait-il mieux que je t'accompagne. Tu as le droit d'emmener un conseil, je suppose ?

— Sans doute, mais je ne veux pas te faire perdre ton temps. De toute façon, tu dois ramener les autres à Paris, Laetitia et Yann ne peuvent pas s'absenter plus longtemps, et Xavier sera furieux si maman ne rentre pas comme prévu.

— Je n'ai qu'à les conduire à Genève et les mettre dans un avion. Moi, je peux rester, je m'arrangerai facilement avec ma boîte, ils sont assez cool !

— C'est très gentil de ta part. À vrai dire, je ne me sens jamais à l'aise avec des financiers.

— Et tu n'es pas diplomate, tu es beaucoup trop entier. Tu parles d'accepter des compromis, mais je te connais, ta façon de les présenter les fera passer pour des exigences.

— Non ! Je t'assure que j'arrive à me montrer consensuel.

Valère éclata de rire avant de tapoter affectueusement l'épaule de son frère.

— Tu es un vrai comique. *Consensuel* ? En réalité, tu n'y peux rien, tu t'enflammes dans les discussions, tu hausses le ton, tu parles avec les mains, au besoin tu fais du charme mais tu ne cèdes pas. À l'italienne, quoi ! Bon, c'est décidé, j'irai avec toi. En plus, ça m'amuse.

Soulagé à l'idée de ne pas affronter seul les gens dont dépendaient ses budgets, Lorenzo accepta la proposition de Valère. Celui-ci faisait partie des très rares personnes dont il voulait bien recevoir de l'aide, habitué à ne compter que sur lui-même. Il se reprochait encore d'avoir sollicité Xavier, alors qu'il savait pertinemment qu'il n'en obtiendrait rien. Il regarda partir la voiture de Valère, puis celle d'Anouk, avant de gagner la sienne. La présence de sa famille lui avait procuré un grand plaisir, mais sans lui faire oublier un seul instant les problèmes qui l'attendaient. La gestion et l'avenir du parc demeuraient un véritable casse-tête, pourtant c'était aussi sa raison de vivre.

En s'installant au volant, il pensa soudain à Julia, à l'enfant qu'elle portait, au bonheur qu'elle devait ressentir et partager avec un autre. Quelques heures auparavant, tandis qu'ils recousaient les plaies du bébé gorille, ils avaient travaillé en parfaite harmonie, appliqués et complices. Il appréciait qu'elle l'assiste lors des interventions délicates, et même sans rechercher sa présence, par respect pour Marc, il aimait la sentir à ses côtés. Or il ne s'agissait pas uniquement d'une satisfaction professionnelle, il en était bien conscient. Dans cinq ou six mois, il allait devoir la remplacer par un autre vétérinaire, ce qui mettrait fin à ses pensées contradictoires et ambiguës.

Il prit la direction de sa petite maison, mais, au dernier moment, il changea d'avis et se retrouva sur la route du parc, l'endroit où il se sentait vraiment chez lui.

3

Julia était sur le point de s'endormir, mais Marc, intarissable, continuait à parler. Adossé à son oreiller, sa tablette sur les genoux, il naviguait d'un site à l'autre, cherchant les meilleurs accessoires de puériculture : biberons, couffins, gigoteuses, babyphones. Un peu plus tôt dans la soirée, il avait énuméré une foule de prénoms pour lesquels il s'enthousiasmait.

Si Julia était heureuse d'un tel entrain, elle avait tout de même sommeil.

— Tu es sûre de préférer te marier après la naissance ? demanda-t-il en remontant la couette sur elle d'un geste protecteur.

— Le temps de tout organiser et je serai grosse comme une montgolfière, marmonna-t-elle.

— Mais toujours jolie comme un cœur.

— Et je ne pourrai même pas boire une coupe de champagne, donc c'est non.

— Boire, évidemment pas ! J'espère que tu fais bien attention à ta santé. D'ailleurs, si tu as besoin de manger de la viande, vas-y, ça ne me gêne pas.

Marc était végétarien, et avant d'apprendre qu'elle était enceinte il avait essayé de convertir Julia à sa cause.

— Tu devrais voir un médecin nutritionniste ou discuter avec ton gynécologue pour connaître le régime le mieux adapté à ta grossesse.

Agacée par son insistance, Julia ne répondit rien. Elle se sentait tout à fait capable de savoir ce qui était bon pour elle.

— J'ai lu des tas de trucs à ce sujet, poursuivit-il. Ce qui est recommandé quand on attend un bébé. Par exemple, éviter le vernis à ongles et la teinture pour cheveux.

— Je n'en utilise pas.

— Et aussi certains médicaments qui...

— Marc ! Je suis vétérinaire, je connais la pharmacologie.

S'il continuait avec ses recommandations, le sommeil finirait par la fuir. Pourtant, elle était fatiguée par des nausées matinales qu'elle tentait d'ignorer mais qui lui avaient fait quitter précipitamment la salle d'opération de la clinique vétérinaire deux jours plus tôt. Aujourd'hui, elle avait pu soigner avec Lorenzo le bébé gorille, néanmoins il finirait par s'apercevoir de ses malaises. Devrait-il la remplacer plus vite que prévu ? Elle n'avait aucune envie de se retrouver seule chez elle, à tourner entre quatre murs en imaginant tout ce qui se passait au parc. Elle aimait son métier, avec Lorenzo un bon tandem professionnel s'était formé, qu'elle rechignait à quitter. Il le faudrait bien, mais le plus tard possible.

Elle venait de refermer les yeux quand Marc la prit dans ses bras pour la câliner. Sa paternité prochaine le remplissait de joie, de fierté, et aussi d'une angoisse excessive. Lui si calme, si sérieux et réservé, devenait exubérant dès qu'il était question du bébé. Il abreuvait Julia de conseils, et la manière dont il venait de lui donner l'« autorisation » de consommer de la viande si elle en avait besoin semblait un peu incongrue. Ils avaient eu quelques discussions à ce sujet, Marc ne comprenant pas comment, avec son amour des animaux, Julia pouvait trouver normal de les manger. Elle admettait la logique du raisonnement mais ne se voyait pas renoncer pour toujours à une bonne bavette aux échalotes. Certes, le débat méritait d'être approfondi, elle en convenait, mais sans se rendre à ses arguments pour l'instant. Car elle ne voulait pas lui donner systématiquement raison, ayant découvert depuis peu une sorte d'autoritarisme chez lui. Julia était une femme libre, indépendante, et jusqu'ici sa relation avec Marc ne lui avait apporté que du bonheur. Elle avait cru qu'ils étaient sur la même longueur d'onde tous les deux, en parfaite harmonie ; cependant, quelques fausses notes commençaient à troubler leur entente. S'était-elle aveuglée parce qu'elle était amoureuse ? Avait-elle brûlé les étapes en décidant de faire un enfant avec un homme qu'elle ne connaissait que depuis quelques mois ? Malheureusement, il n'était plus temps de se poser la question : elle aurait dû s'interroger avant.

— Mon amour…, chuchota-t-il au creux de son oreille.

Elle aimait sa voix grave, sa gentillesse, admirait la manière efficace dont il gérait les équipes de soigneurs ou les stagiaires. Cependant elle avait fini par déceler chez lui une pointe d'aigreur. Même s'il le cachait bien, il aurait voulu avoir autant de responsabilités et d'autorité que Lorenzo. Quand elle l'avait questionné là-dessus, le plus diplomatiquement possible, il avait fini par avouer son regret de ne pas avoir fait d'études, un cuisant échec au concours de l'école vétérinaire l'ayant contraint à choisir une autre voie. La frustration qu'il en éprouvait était à peine perceptible mais existait bel et bien.

Refusant d'y penser davantage, elle se blottit contre lui, décidée à dormir en paix.

*

Le lundi, comme prévu, Valère avait accompagné sa mère, Laetitia et Yann à l'aéroport de Genève en fin de matinée, puis il avait gagné le quartier des affaires et déjeuné au café des Banques, rue de Hesse, en réfléchissant à la stratégie qu'il allait défendre au nom de son frère.

La réunion des commanditaires du parc Delmonte, qui comprenait, entre autres, les représentants d'une grande banque, ceux du conseil départemental et du conseil régional, un homme d'affaires suisse et deux juristes, se tenait dans un salon privé de l'hôtel Bristol. Sûr de lui, affable, Valère se montra particulièrement brillant dans son argumentation pour démontrer l'intérêt d'un parc un peu différent des autres. Se démarquer des concurrents, attiser la curiosité, axer la communication sur la défense sans concession des grands enjeux écologiques, mettre en valeur l'attrait des vastes espaces où s'épanouissaient au plus près de la nature les espèces sauvegardées, tout cela représentait les orientations immédiates. Il insista également sur l'intérêt de pouvoir héberger des familles pour des séjours de vingt-quatre heures, et en conséquence de démarrer sans attendre la construction des maisons de bois destinées à les accueillir. Puis il mit l'accent sur l'opportunité de drainer ainsi une clientèle suisse, voire italienne. Au terme de sa conclusion, avec une pointe de lyrisme, il déclara que le parc Delmonte, qui n'avait pas encore dévoilé tout son potentiel, mériterait un jour de s'appeler « À l'état sauvage », ce qui en ferait un lieu incontournable. Et tout cela grâce à Lorenzo, qui, loin d'être un don Quichotte illuminé, avait compris avant tout le monde le changement des mentalités et la répugnance des visiteurs à voir des animaux sauvages à moitié domestiqués. Avant de se rasseoir, il rappela, comme en passant, que si Lorenzo n'était pas en mesure d'investir lui-même il avait néanmoins mis gracieusement ses terrains à la disposition de la société d'exploitation du parc, ce qui avait permis de lancer le projet et évitait de grever les budgets. Pour son salaire, en tant que directeur et responsable, il ne demandait aucune augmentation cette année encore.

Le plus surpris, parmi ceux qui assistaient à cette réunion, fut Lorenzo. Que son frère, à partir du peu d'éléments dont il disposait, ait développé une telle connaissance apparente du dossier forçait son admiration. L'orientation vers une clientèle étrangère mais proche géographiquement était un bon levier. Enfin et surtout, Valère avait saisi la philosophie de son frère, ses réticences et son éthique.

— Tu as été formidable, je n'aurais pas su exprimer si clairement nos objectifs ! s'enthousiasma Lorenzo lorsqu'ils eurent quitté le Bristol.

— Mais si, tu aurais su, sauf qu'à la première contradiction tu te serais énervé. Et puis, c'est mon métier de conseiller et de convaincre. Le tien est de t'occuper des animaux, et la partie administrative te soûle. Tu ne...

— Attendez ! cria une voix derrière eux.

En se retournant, ils virent arriver en courant la jeune femme qui représentait le conseil régional.

— Je voulais vous féliciter, messieurs, dit-elle avec un charmant sourire. Je crois qu'à vous deux, vous avez conquis tout le monde. La réunion a été vraiment positive. J'en suis ravie, car je suis persuadée depuis le début de l'intérêt de ce parc pour notre région. Sans trop m'avancer, je pense que vous aurez vos crédits, monsieur Delmonte.

— Appelez-moi Lorenzo, je vous en prie, proposa-t-il sans s'apercevoir de l'effet ravageur qu'il produisait sur elle.

— D'accord, moi c'est Cécile. Voulez-vous que nous prenions un café pour nous remettre de nos émotions ?

Amusé, Valère remarqua qu'elle ne s'adressait qu'à Lorenzo tandis qu'ils se dirigeaient tous trois vers un bar proche.

— J'ai déjà visité plusieurs fois votre parc, bien entendu, mais je ne m'en lasse pas ! Je pense y revenir lors de la réunion avec les architectes.

Quand ils furent attablés, elle parut s'apercevoir enfin de la présence de Valère.

— Vous êtes un excellent conseil, monsieur Cavelier. Même si vous vous êtes bien gardé d'entrer dans les détails, grâce à vous nous disposons d'une bonne vision à court et moyen terme.

Pour éviter toute confusion, Lorenzo précisa :

— Valère est mon demi-frère, il est gentiment venu m'assister.

— Ah...

Le regard de la jeune femme alla de l'un à l'autre, constatant sans doute le manque de ressemblance entre eux. Ils continuèrent à parler du parc un petit moment, puis elle prit congé, manifestement à regret, sans oublier de laisser sa carte à Lorenzo.

— Tu as une sacrée touche avec elle ! s'esclaffa Valère après son départ. Tu n'avais rien remarqué lors des précédents rendez-vous ?

— Je suis toujours très tendu pendant ces discussions d'argent et je n'ai pas fait plus attention à elle qu'aux autres.

— Dommage, c'était la seule jolie femme de la réunion.

— Tu la trouves jolie ?

— J'aime bien les grandes blondes aux cheveux longs. En plus, elle s'habille avec élégance et son maquillage est parfait.

— Elle est un peu sophistiquée pour moi.

— Ah, évidemment, ce n'est pas Julia ! À propos, maman m'a raconté sa gaffe, elle était désolée.

— Elle ne pouvait pas savoir.

— D'autant moins que tu n'avais rien dit à son sujet. Pourquoi l'as-tu embauchée ?

— J'avais envie de travailler avec elle.

— Ne me fais pas rire ! Tu avais simplement envie qu'elle soit là.

— Oui... Mais j'ai eu tort d'imaginer quoi que ce soit, je ne l'intéresse plus. Elle attend un enfant, elle va épouser mon chef animalier.

Valère scruta son frère durant quelques instants avant d'esquisser une grimace.

— Je vois que ça ne te laisse pas indifférent. Le mieux serait qu'ils ne travaillent plus pour toi ni l'un ni l'autre.

— Marc fait bien son métier et il se plaît chez moi.

— Trouve une solution. C'est frustrant pour toi, c'est malsain. Et intéresse-toi donc à cette Cécile qui te fait les yeux doux.

— Bof...

— Lorenzo ! Je ne comprends pas pourquoi il n'y a pas une femme dans ta vie. Tu les fais toutes craquer, depuis toujours, ça m'a rendu dingue pendant des années. Et tu n'es même plus coureur, quel gâchis... Si c'est à cause de Julia, tourne la page une bonne fois, débarrasse-toi d'elle.

— Rassure-toi, elle pense partir.

— Le plus tôt serait le mieux.

Lorenzo eut un sourire amusé qui vexa Valère.

— D'accord, je n'ai pas de conseils à te donner, soupira-t-il.

— Mais si, petit frère, je les accepte volontiers. Surtout aujourd'hui où je te découvre dans la peau d'un conseiller avisé ! Au moins en affaires. Pour le reste, laisse-moi seul juge, veux-tu ?

Ils quittèrent le bar et marchèrent ensemble jusqu'à la voiture de Valère.

— Sois prudent sur la route, recommanda Lorenzo.

Il savait que son frère conduisait vite et s'en inquiétait. L'accident qui avait coûté la vie à son père, gravé dans sa mémoire d'enfance, le rendait pour sa part plutôt sage au volant. Tout en rejoignant sa propre voiture, garée dans un parking, il retrouva la carte de visite de Cécile Leroy au fond de sa poche. Machinalement, il se mit à jouer avec.

*

— Je t'assure, insista Maude, c'est un endroit prodigieux. Nous avons été bluffés, les enfants et moi. Même Anouk, qui n'aime pas spécialement les animaux, s'est laissé séduire. Une seule fois, Xavier, rien qu'une, tu devrais aller visiter ce parc.

— Je ne vois pas pourquoi j'irais perdre mon temps là-bas, puisque ça ne m'intéresse pas.

— Eh bien… ne serait-ce que pour constater la réussite de Lorenzo. Tu lui prédisais le pire, or il est en passe de réussir.

— L'avenir le dira. Pour le moment, il est plutôt sur la corde raide d'après ce que j'ai compris, puisqu'il a besoin d'argent. Le parc Delmonte n'est pas encore le zoo de Beauval, que je sache !

Non seulement il avait mis beaucoup de mépris dans sa phrase, mais il la ponctua d'un petit ricanement qui exaspéra Maude.

— Tu es de parti pris, comme toujours.

— Et toi en extase, comme toujours aussi.

Elle leva les yeux au ciel avant de toiser son mari sans indulgence. Sous son regard sévère, Xavier se radoucit.

— Écoute, ma chérie, je sais que tu me trouves dur alors que je suis seulement inquiet. Laurent tente une aventure qui me semble très risquée. S'il parvient à s'en sortir, ça lui prendra toute sa vie, toute son énergie. Et puis, je vais être franc avec toi, mettre des animaux en prison, ça me gêne.

— En prison ? Tu rêves ! Ils ont beaucoup de place, ils s'ébattent comme ils veulent.

— Vraiment ? Tu crois qu'un fauve peut se contenter de mille mètres carrés alors que dans la savane il arpente des territoires immenses ?

— Des territoires qui se sont réduits comme peau de chagrin à la surface du globe.

— Preuve que les grands félins ou les pachydermes n'y ont plus leur place.

— Tu voudrais qu'ils disparaissent ?

— Les dinosaures ont bien disparu ! C'est une évolution naturelle. On ne peut pas préférer l'animal à l'humain. Or nous sommes de plus en plus nombreux, nous avons besoin de place pour vivre et pour nous nourrir. Mettre des bêtes en captivité pour soi-disant préserver des races obsolètes est non seulement absurde mais cruel.

— Je ne suis pas d'accord. N'importe quel être vivant préférera toujours une prison dorée à la mort. Et puis, je ne sais pas pourquoi je discute avec toi. Dès qu'on évoque Lorenzo, tu deviens borné. S'il avait décidé d'être prêtre, tu cracherais sur la religion, et s'il était flic tu le traiterais de ripou. N'oublie jamais que c'est mon fils et que j'en suis très fière !

Une fois de plus, leur discussion les avait conduits dans une impasse. Maude regretta d'avoir affiché sa bonne humeur en rentrant de ce week-end qui l'avait enchantée. Xavier ne pouvait qu'en prendre ombrage.

— Je suis sûr que Laurent pense défendre une noble cause, finit-il par lâcher, du bout des lèvres.

— Absolument ! Une cause juste.

— Mais désespérée.

La colère de Maude était en train de s'apaiser. À quoi bon s'affronter ? Chanter les louanges de Lorenzo ne le ferait pas aimer par Xavier. Autant garder pour elle ses sentiments d'amour et d'admiration. Néanmoins, le parc l'avait vraiment éblouie. Chaque année, elle découvrait les aménagements, les transformations, et elle admettait que, oui, sans aucun doute, ce serait l'œuvre d'une vie. Une belle vie, une vie utile.

— Veux-tu que nous allions au restaurant ce soir ? proposa Xavier.

La plupart du temps, il ne prenait pas l'initiative de leurs sorties, mais il devait se sentir en porte-à-faux et il espérait la réconciliation.

— Bonne idée ! approuva-t-elle gentiment.

Son mari allait en profiter pour lui raconter les anecdotes de la pharmacie ; ainsi ils n'auraient plus aucune raison de se disputer.

*

Lorenzo leva son fusil hypodermique et attendit que le tigre se présente de profil. Il ajusta son tir, visant la cuisse, puis il lâcha sa flèche. Atteint au bon endroit, le fauve bondit contre la grille, toutes griffes dehors, retomba et se mit à aller et venir furieusement avant de finir par se coucher.

— Il faut le distraire, ordonna Lorenzo, je ne veux pas qu'il cherche à enlever la flèche, il risque de l'avaler !

À côté de lui, Marc tapota les barreaux de la grille pour attirer l'attention de l'animal.

— Le produit mettra dix minutes à agir, précisa Lorenzo, et quand il s'endormira il faudra faire vite.

Du fond de son box, le tigre les observait, sur la défensive, tandis que son soigneur habituel tentait de le rassurer en lui parlant d'une voix apaisante :

— Tout va bien, Mogambo, tout va bien…

— Il a vraiment des yeux magnifiques, constata Lorenzo.

— Sa femelle ne doit pas être sensible à son beau regard vert, elle l'a bien amoché.

La blessure à l'épaule semblait profonde et nécessitait d'être nettoyée et recousue pour éviter une infection.

— Il a voulu s'en prendre à la petite Wendy, plaida le soigneur.

Lorenzo se tourna vers Marc pour déclarer, posément :

— On les a remis ensemble trop tôt.

Il se souvenait que Marc avait insisté pour que la famille se retrouve au complet dans son enclos, or très vite la situation avait dégénéré.

— Le tigre mâle n'a pas d'instinct paternel, rappela-t-il. Pour Mogambo, un tigreau représente un obstacle entre lui et sa femelle, un gêneur, voire une proie bonne à dévorer. La tigresse le sait, elle a défendu ses petits. Ne les mettez plus ensemble.

— Qui va rester enfermé ? s'insurgea Marc.

— On les sortira à tour de rôle. De toute façon, le nouvel enclos est presque prêt, dès que le bassin sera en eau Mogambo pourra l'inaugurer.

Quelques mois plus tôt, Lorenzo avait mis en chantier un nouvel espace destiné aux tigres, qui comprenait un grand point d'eau où ils allaient pouvoir nager à leur aise. Ces fauves l'inquiétaient, exprimant leur ennui par d'incessantes marches sans but le long des clôtures, gueule entrouverte, ce qui était un signe de stress. En réunion avec les soigneurs, il leur avait demandé de faire preuve d'imagination pour les distraire sans les énerver. Les estrades de rondins avaient été relevées, les quartiers de viande mieux dissimulés.

— On refera un essai de cohabitation quand les petits auront six mois, décida Lorenzo.

De nouveau, il observa le tigre, qui venait de s'affaler sur le côté. Consultant sa montre, il se tourna vers Julia.

— On va bientôt pouvoir entrer. Ça ira pour toi ?

Malgré sa crainte avouée des félins, Julia avait proposé d'assister Lorenzo. Déterminée, elle hocha la tête et tenta un sourire. À l'aide d'une perche passée à travers les barreaux, Lorenzo toucha le flanc du tigre, son cou puis son oreille sans obtenir de réaction.

— Allons-y !

Par chance, l'animal s'était couché du bon côté, laissant voir son épaule blessée.

— Au moins, pas besoin de le retourner, fit remarquer Marc.

Franchissant la grille à la suite des vétérinaires, il semblait surtout préoccupé par Julia. Il la suivit des yeux tandis qu'elle s'agenouillait près de Lorenzo. Côte à côte, les deux vétérinaires commencèrent à travailler.

— On désinfecte, on sonde la plaie, et ensuite tu recouds, proposa Lorenzo.

La proximité immédiate avec le fauve avait de quoi angoisser Julia, mais elle n'en montrait rien ; ses gestes étaient précis.

— C'est comme une très grosse peluche, l'odeur en plus…, dit-elle entre ses dents.

Lorenzo eut un petit rire avant de recommander :

— Fais tes points bien serrés, il faut que ce soit solide jusqu'à ce que les fils se résorbent. Et on ne fait pas de pansement, il l'arracherait.

Pas question pour lui d'endormir le tigre une seconde fois, chaque anesthésie présentant un risque pour l'animal. Il se retourna une seconde pour observer Marc, dont les yeux étaient toujours rivés à Julia.

— Sors le matériel dont nous n'avons plus besoin, lui demanda-t-il. Dès que Julia aura fini, j'administrerai l'antidote pour qu'il se réveille. À partir de là, tout le monde dehors, il peut émerger très vite…

Après l'injection, ils se replièrent ensemble et la grille fut aussitôt verrouillée.

— Du beau travail, ma grande ! dit Lorenzo à Julia.

Déjà le tigre commençait à bouger et tentait de se relever.

— Je vais rester là pour le surveiller, proposa le soigneur.

— Il a l'air d'aller bien, mais s'il y a quoi que ce soit d'anormal, bipe-nous.

Lorenzo esquissa un geste pour prendre familièrement Julia par les épaules, mais il s'interrompit à temps. Marc, qui semblait la couver, risquait de mal interpréter son geste. D'ailleurs, son attitude changeait peu à peu, comme s'il tenait à prendre des distances avec Lorenzo. Mieux valait s'abstenir désormais de faire appel à Julia. Elle en savait assez pour travailler seule de son côté, et quand Lorenzo aurait besoin d'aide il n'aurait qu'à s'adresser au troisième vétérinaire du parc. À aucun prix il ne souhaitait causer de problèmes à Julia dans sa vie privée.

— Tu as vu ça ? lui lança-t-elle gaiement. Plus la moindre nausée matinale !

— Ménage-toi quand même, ronchonna Marc.

— Je ne suis pas malade, répliqua-t-elle.

Elle attendit que Lorenzo soit parti pour ajouter :

— Évite de m'infantiliser, surtout devant les autres.

— Ce n'était pas du tout mon intention. Je veille simplement sur toi.

Vexé, il s'éloigna à grands pas. Julia refusait toute sollicitude, elle se braquait chaque fois qu'il tentait de la mettre en garde ; or, dans son état, elle manquait de prudence. Pourquoi Lorenzo lui avait-il demandé de l'assister alors qu'il connaissait sa défiance envers les fauves ? Mogambo, même endormi, restait impressionnant. Bien sûr, Julia voulait surmonter ses dernières appréhensions, aujourd'hui elle était à l'aise avec quasiment tous les animaux du parc, y compris les loups, et les grands félins représentaient son ultime victoire sur elle-même. Mais pourquoi maintenant, pourquoi ne pas attendre que le bébé soit né ? Marc fondait tant d'espoirs sur cette naissance qu'il comptait les jours.

Tout en se dirigeant vers le territoire des éléphants, où un soigneur le réclamait, Marc se mit à penser à Lorenzo. La sympathie et le respect qu'il éprouvait envers lui depuis qu'il avait commencé à travailler au parc étaient en train de s'estomper. Quand Julia avait suggéré qu'il soit le parrain de leur premier enfant, Marc avait acquiescé tout en éprouvant un petit pincement au cœur. Sans être jaloux du passé de Julia, il savait à quel point Lorenzo avait compté pour elle. Leurs regards complices, leurs gestes bien accordés, une connaissance réciproque qui leur permettait de se comprendre en un clin d'œil ne lui échappaient pas. Et puis Lorenzo, ainsi que toutes les filles le clamaient, était vraiment très séduisant, même un homme ne pouvait que le constater. Or il n'en profitait pas, aucune rumeur ne circulait à son sujet ; s'il avait des aventures, elles se déroulaient en dehors du parc. Mais comment aurait-il trouvé du temps pour une petite amie puisqu'il était là du matin au soir, et parfois du soir au matin ?

L'agacement que Marc éprouvait le contrariait. Devenait-il mesquin ? Il était en train de fonder une famille, rien ne devait troubler ou entraver son bonheur. Julia finirait par tenir compte de ses conseils de prudence, et Lorenzo ferait sans doute un très bon parrain. Sa propre nervosité concernant la grossesse de Julia venait certainement du fait qu'il avait assisté ici, au parc, à un certain nombre de naissances difficiles. Un louveteau mort-né, un girafon qui s'était mal présenté et n'avait pas pu sortir, un ourson d'à peine deux jours retrouvé écrasé sous sa mère endormie… Sauf que, à l'évidence, il n'y avait pas de rapprochement à faire entre des animaux et une femme ! Tout se passerait bien, à condition que Julia soit raisonnable.

Contre sa jambe, dans l'une des nombreuses poches de son pantalon, le bip du talkie-walkie qui ne le quittait pas le tira de ses pensées. Le soigneur s'impatientait du côté des éléphants, où il semblait y avoir un problème, et Marc pressa le pas, oubliant ses soucis personnels.

*

Cécile avait décidé de commencer par une petite visite incognito avant de se mettre en quête de Lorenzo. Même si cet homme la chavirait, elle n'en perdait pas de vue son rôle au sein du conseil régional. Venir ici sans s'être annoncée pouvait passer pour un contrôle inopiné ; toutefois elle n'était pas réellement mandatée, en réalité elle ne faisait que céder à son envie de revoir Lorenzo. D'une certaine façon, elle joignait l'utile à l'agréable, sûre que sa hiérarchie apprécierait son initiative.

Un beau soleil d'automne réchauffait cette journée de novembre, et la promenade le long des différents enclos se révélait agréable. Cécile en profita pour prendre quelques photos avec son téléphone, assorties de notes sur les nouveautés qu'elle remarquait. Apparemment, les allées étaient ratissées, les abords des différents bâtiments bien entretenus, la signalisation parfaitement claire pour les visiteurs. Lorenzo ne laissait rien au hasard dans son parc.

Ah, Lorenzo Delmonte… La première fois que son dossier avait été évoqué, en commission, elle n'y avait pas prêté d'attention particulière, se bornant à constater qu'il s'agissait d'une perspective intéressante pour la région puisque le projet alliait l'écologie et le tourisme. Elle n'était pas présente à la première réunion, mais elle en avait eu de nombreux échos. Une des secrétaires avait parlé d'un type « vraiment beau, en plus bourré de charme, bref, à tomber ». Rien que ça ? Amusée et curieuse, Cécile n'avait pas raté la deuxième réunion, ni les suivantes. Elle avait l'habitude qu'on la remarque, pourtant Lorenzo ne lui avait adressé qu'un sourire poli et distrait. Pour sa part, elle ne l'avait pas quitté du regard, le trouvant effectivement *à tomber*. Elle qui avait une préférence marquée pour les blonds se sentait conquise par ce brun aux yeux bleus, à la peau mate, aux traits virils. Pour faire avancer les choses, elle n'avait pas hésité à lui courir après, quelques jours plus tôt, à Genève. L'homme qui l'accompagnait et qu'il avait présenté comme son frère – et son conseil – semblait pour sa part rompu aux jeux de la séduction, mais ce n'était pas à lui que Cécile voulait plaire.

Après avoir admiré une famille de lions, regardé jouer des orangs-outans et cherché en vain à apercevoir les loups, Cécile décida de reprendre sa voiture pour parcourir la réserve des ours bruns. Très impressionnée de les découvrir si proches, presque familiers malgré leur taille impressionnante, elle roulait au pas, vitres fermées, respectant les consignes de sécurité. Mais qu'arrivait-il à ceux qui les bravaient ? Parmi les véhicules qui la précédaient, elle remarqua qu'un enfant d'une dizaine d'années, les bras à l'extérieur, prenait des photos en poussant des cris pour attirer l'attention des ours. Ceux-ci restaient indifférents, occupés à se frotter le dos contre un tronc d'arbre ou à chercher quelques-unes des friandises disséminées par les soigneurs près de la route pour les inciter à se montrer. Sans doute n'y avait-il pas grand risque à enregistrer une petite vidéo. Laissant une main sur le volant, Cécile prit son téléphone de l'autre. Gênée par les reflets du soleil sur la vitre, elle la baissa pour mieux filmer, sortant elle aussi un bras. À cet instant, un avertissement en provenance d'un mégaphone résonna tout près d'elle.

— Nos visiteurs sont instamment priés de fermer les vitres de leurs véhicules en raison du danger que peuvent présenter les animaux. Pour circuler librement au milieu d'eux, ils doivent respecter les consignes de sécurité.

Une voiture de service peinte aux couleurs du parc la dépassa lentement. À sa grande honte, elle identifia Lorenzo au volant. Était-il ici pour une autre raison ou se chargeait-il lui-même de mettre de l'ordre ? En tout cas, il l'avait reconnue et lui avait adressé un signe de tête, sans le moindre sourire. Elle s'en voulut aussitôt, supposant qu'il allait la prendre pour une écervelée. Pourquoi avait-elle bêtement suivi l'exemple de ce gamin ? Elle pouvait avoir toutes les photos qu'elle voulait, bien meilleures que les siennes, il lui aurait suffi de les demander sous n'importe quel prétexte, ou même de les acheter à la boutique, qui proposait des souvenirs. Et maintenant, pour ne pas avoir l'air d'être venue l'espionner, elle devait le retrouver. Mais où, à travers ce parc immense ?

Elle n'eut pas besoin de le chercher : Lorenzo s'était arrêté à la sortie de la visite des ours et il semblait l'attendre, debout à côté de sa voiture. Elle se rangea derrière lui, descendit en prenant un air navré.

— Pardon pour l'imprudence, s'excusa-t-elle. J'ai imité les autres, je n'aurais pas dû.

— Bien sûr que non. Il y a vraiment des risques, les ours sont imprévisibles. Les gens font ça tout le temps... Et s'il arrive un accident, on ne tolérera plus que les voitures empruntent cette route. Ce serait vraiment dommage.

— Partez du principe que les visiteurs sont indisciplinés.

— Je préfère leur faire confiance, en appeler à leur bon sens, mais j'ai tort, je le sais. Néanmoins, cette promenade est l'un des points forts du parc, j'aimerais la maintenir. Par chance, l'ours n'est pas naturellement agressif, surtout s'il est bien nourri, ce qui est le cas.

Il s'adressait à elle avec courtoisie mais sans réel intérêt ; elle le perçut et se sentit vexée.

— Je sais que vous êtes très occupé, déclara-t-elle gentiment, mais si vous avez un petit moment à m'accorder, j'aimerais que nous discutions de tout ça.

— « Tout ça » quoi ?

— Eh bien... Ce que j'ai vu aujourd'hui, les suggestions que je voudrais vous faire.

— Mais vous n'êtes pas en visite officielle ? On ne m'avait rien annoncé.

— Non, je suis venue de mon propre chef. J'ai été séduite par l'exposé de votre conseil, enfin, votre frère, et j'appuierai votre dossier quand il passera en commission.

J'ai simplement besoin de quelques informations supplémentaires.

Pour ne pas avoir l'air d'exercer un quelconque chantage, elle lui adressa un sourire chaleureux et sans ambiguïté. Cependant il n'eut pas la réaction qu'elle espérait.

— Impossible. J'ai beaucoup trop de travail, je suis déjà en retard. En revanche, vous pouvez aller partout et interroger les soigneurs, ils répondront à vos questions.

Déçue, elle comprit qu'il était inutile d'insister. Après un petit signe de tête, il s'éloigna en hâte et trouva Julia sur son chemin.

— On a besoin de toi chez les éléphants, annonça-t-elle.

— Tu aurais dû me biper.

— Je n'ai pas voulu interrompre ta conversation. Cette fille est très jolie !

Elle se mit à rire, apparemment égayée par ce qu'elle avait vu.

— Est-ce qu'elle te plaît ?

— Cécile travaille pour le conseil régional, marmonna-t-il, pas question de mélanger les genres.

— Oh, n'exagère pas ! Elle est fonctionnaire, je suppose, et ce n'est pas elle qui décide. Si elle te donne un coup de pouce, tant mieux, tu le mérites.

Tout en parlant, Julia avait machinalement posé la main sur son ventre. Bien qu'en début de grossesse, elle devait souvent faire ce geste pour réaliser qu'elle attendait bien un enfant, et Lorenzo en fut bouleversé.

— J'aimerais tellement que tu tombes amoureux..., ajouta-t-elle.

— Pourquoi ?

Elle le scruta quelques instants avant de répondre :

— Pour te voir heureux.

Comme il n'avait pas toujours le temps de se raser le matin, débordé par le planning, une barbe de trois jours envahissait ses joues, qui aurait pu laisser croire qu'il suivait la mode ; mais Julia savait qu'il n'en était rien. Lorenzo ne se souciait pas de son apparence, semblant ignorer à quel point il était séduisant. Lorsqu'ils étaient étudiants, Julia l'appelait en riant « le plus beau brun de tout Maisons-Alfort », et il riait avec elle comme s'il s'agissait d'une blague.

Un bip les interrompit, et Lorenzo prit son talkie-walkie pour répondre qu'il arrivait tout de suite.

— Je t'accompagne, décida Julia, qui se sentait en pleine forme.

Ses malaises avaient disparu, et Marc l'abreuvait moins de conseils superflus. Sans doute était-ce le moment de songer à l'avenir et de planifier leur départ du parc, mais cette idée attristait tellement Julia qu'elle n'arrivait pas à y penser de manière concrète. Ici, et grâce à Lorenzo, elle s'était découvert peu à peu une vocation tardive pour les animaux sauvages, ce qui la surprenait. À l'époque où ils avaient obtenu leur diplôme, elle n'avait pas pu suivre la même voie que lui puisqu'elle ne voulait pas laisser sa mère affronter seule la maladie qui la rongeait ; néanmoins, son dévouement avait créé une frustration. Chaque fois que Lorenzo l'appelait et lui décrivait par le menu ses périples en Afrique ou en Europe, elle l'enviait sans le lui avouer et se sentait lésée. Elle aurait aimé être avec lui pour partager l'aventure, et en même temps qu'il soit là près d'elle pour la soutenir. Cette contradiction la minait, elle souffrait de son absence et lui en voulait, elle savait qu'il vivait des choses passionnantes alors que sa propre existence était assez terne. Mais des chaînes la retenaient à Paris, et son sens du devoir l'empêchait de les rompre. Au bout du compte, incapable d'en tenir rigueur à sa mère, qui venait d'être admise dans une unité de soins palliatifs, elle avait tourné sa rancune vers Lorenzo.

Aujourd'hui, ses griefs étaient oubliés, elle se sentait sereine face à lui. Travailler avec quelqu'un d'autre serait sans doute décevant, car il était peu probable qu'elle trouve le même genre de poste. Lorenzo était brillant, pédagogue, très apprécié par tous les soigneurs, et Julia avait l'avantage de bien le connaître, au point de pouvoir anticiper ses réactions. Son parc était en pleine expansion, on pouvait y envisager toutes sortes de projets, rien n'était figé.

Devant le bâtiment des éléphants, Marc les attendait.

— Kim a une blessure sous un pied, annonça-t-il.

Ils le suivirent à l'intérieur, où l'un des soigneurs distrayait le gros mâle avec un peu de nourriture tandis que les autres restaient à la distance réglementaire pour ne pas recevoir de coup de trompe. Sous leur apparence débonnaire, ces animaux faisaient partie des plus dangereux du parc.

— Lève, Kim, lève ! demanda le soigneur en touchant la patte droite du bout de sa baguette.

Le geste n'était pas brutal et l'éléphant s'exécuta docilement. Ce long travail d'habitudes cent fois répétées et récompensées mettait toujours Lorenzo un peu mal à l'aise. Bien sûr, il fallait pouvoir examiner certaines parties de l'animal sans prendre le risque de l'endormir, et le dressage était particulièrement utile en ce qui concernait les pachydermes en raison de leur masse, mais qu'un éléphant lève docilement la jambe sur commande évoquait pour lui un numéro de cirque et le contrariait. Il demandait toujours à ses équipes d'intervenir *a minima*, de ne jamais chercher à « dresser ». Préserver les races menacées ne voulait pas dire les domestiquer, il était intransigeant sur ce point. Dès son enfance, il avait éprouvé de la répulsion et de la peine devant les numéros de fauves ou d'éléphants. Il se souvenait encore d'une représentation au Cirque d'hiver, où ils étaient allés en famille un dimanche. Il avait ri devant les clowns, était resté bouche bée devant les trapézistes mais avait détesté le stupide dompteur qui faisait claquer son fouet pour obliger des lions lymphatiques à grimper sur des tabourets. En sortant, il avait dit ce qu'il pensait, alors Xavier l'avait traité de « fillette » et s'était moqué de lui. Le ton était monté entre eux, comme toujours, devant les trois autres enfants, consternés. Sur le chemin du retour, Xavier n'avait pas cessé de réprimander Lorenzo, insistant lourdement et lui reprochant d'avoir gâché leur sortie. À l'appartement, il l'avait envoyé dans sa chambre. Maude était venue l'y rejoindre peu après, et c'est là que Lorenzo, encore gamin, lui avait solennellement juré que plus tard il serait vétérinaire pour soigner les animaux victimes de la cruauté des humains. Contre toute attente, elle l'avait cru.

Il examina avec attention le pied de l'éléphant, prescrivit un traitement et félicita le soigneur pour sa vigilance avant de quitter le bâtiment, faisant signe à Marc de le suivre.

— Vérifie l'état de l'enclos des éléphants, lui demanda-t-il. J'aime autant que Kim ne piétine pas dans la boue à longueur de journée, l'humidité ne vaudra rien à son pied.

— On peut le garder à l'intérieur.

— Je préférerais qu'il sorte avec les autres, il devient nerveux quand il est seul. Vois avec un technicien si on ne pourrait pas drainer le sol, il a beaucoup plu ces derniers jours. De toute façon, il faudra envisager des travaux cet hiver.

Marc eut un petit sourire ironique avant de lâcher :

— Avec toi, les travaux, c'est toute l'année !

— J'améliore le parc autant que possible, répondit posément Lorenzo.

Préférant ne pas insister, Marc hocha la tête et s'éloigna. Lorenzo devinait sa mauvaise humeur latente, ces derniers jours, sans en saisir la raison. Jusqu'ici, l'enthousiasme de Marc n'avait jamais fait défaut. Était-ce à cause de Julia ? De l'enfant qu'ils attendaient et qui allait les contraindre à changer de vie ? Dès qu'ils donneraient officiellement leurs deux démissions, Lorenzo devrait passer des annonces sans tarder s'il voulait retrouver un bon chef animalier et un autre vétérinaire.

Il reprit sa voiture de service pour gagner le fond du parc, franchit une barrière qui interdisait l'accès au public et rejoignit les grands hangars où était livrée toute la nourriture destinée aux animaux. Plusieurs tonnes, chaque mois, de végétaux, de viande et de poisson qui représentaient un gros budget. Accueilli par Jérôme, le responsable des achats, il fit en sa compagnie une rapide visite, testant çà et là la qualité des produits.

— Lâche cette carotte, s'amusa Jérôme. Tu ne vas pas la manger, je suppose ? Et rassure-toi, elle est fraîche, le reste aussi, j'ai tout vérifié, comme toujours… Les factures sont sur mon bureau. Tu veux les voir ?

— Non, je te fais confiance.

— Tu plaisantes ? Tu ne fais confiance à personne, je me demande même si tu ne refais pas les additions derrière le comptable !

Jérôme éclata de rire tandis que Lorenzo levait les yeux au ciel, amusé malgré tout. On lui reprochait souvent de ne pas savoir déléguer, et en effet il ne pouvait pas s'empêcher de contrôler le moindre détail.

— Bon, sans rire, la livraison est complète, rien ne manque. Mais dis-moi, tu viens me voir avec ta casquette de vétérinaire en chef ou de directeur du parc ?

— Un peu les deux. On doit modifier l'alimentation des lions, ils en ont marre des poulets. Force sur la commande de bœuf la prochaine fois.

— Ils sont trop gâtés, ces gros paresseux !

Jérôme protestait pour la forme, mais il nota quelque chose sur le carnet qui ne le quittait pas.

— Pour nourrir les uns, il faut tuer les autres, constata Lorenzo d'une voix songeuse en examinant un bac rempli de souris congelées destinées aux serpents du vivarium.

Il consulta sa montre et soupira.

— Je ne peux pas m'attarder, je dois passer au club de tir.

Comme tous les vétérinaires des zoos, il avait appris à se servir d'un fusil hypodermique à lunette, mais flécher un animal avec précision demandait des gestes sûrs et il s'entraînait régulièrement.

Il quitta les hangars pour rejoindre les bâtiments de l'administration devant lesquels était garée sa propre voiture. Il se sentait fatigué, et une fois de plus il déplorait de ne jamais parvenir à boucler la longue liste quotidienne de ses tâches. Sans doute Jérôme avait-il raison, il ne déléguait pas assez. Pourtant, il estimait ses équipes compétentes et bien organisées, il pouvait s'en remettre à elles. Cependant, les responsabilités qui pesaient sur lui étaient lourdes, au moindre faux pas l'équilibre précaire du parc risquait de basculer. À ce jour, la partie n'était pas gagnée. Le serait-elle jamais ? La passion ne suffisait pas, la compétence non plus, il fallait aussi une part de chance. Comme souvent en fin de journée, Lorenzo eut une pensée pour son grand-père. Si seulement, de là-haut, il pouvait voir ce qu'étaient devenues ses terres en friche !

Alors qu'il s'installait au volant, il se demanda vaguement si Cécile Leroy avait pu glaner tous les renseignements qu'elle souhaitait. Il ne s'était pas montré très coopératif et il le regrettait. Non seulement elle pouvait lui être utile dans la défense de son dossier, mais de surcroît elle était très jolie, il n'avait pas eu besoin que Valère puis Julia le lui fassent remarquer. Or il aimait les jolies femmes, même s'il avait peu de temps à leur consacrer. Toutefois, il n'était pas question de mélanger les genres : jamais il n'aurait eu la bêtise de draguer des filles au sein du parc, ses brèves aventures avaient toujours lieu en dehors. Cécile pouvait-elle être considérée comme un élément extérieur ? Sans doute pas, puisqu'elle était impliquée dans le soutien du conseil régional. S'il sortait avec elle, n'aurait-il pas l'air de vouloir l'utiliser ?

Avec un petit soupir résigné, il renonça à y penser davantage. Il y avait d'autres femmes, ailleurs, et comme aucune d'entre elles n'était Julia, peu importait.

4

— Le petit Lorenzo ? C'est tout de même incroyable ! Vous nous aviez caché ça, monsieur Cavelier !

La vieille dame souriait, ravie de se souvenir du lycéen auquel elle avait enseigné le français.

— Il y a quelques années, j'ai su qu'il était devenu vétérinaire, mais j'ignorais qu'il avait créé un zoo. Ma fille et mon gendre ont été enchantés par leur visite ! Ils y sont allés tout à fait par hasard, parce qu'ils étaient dans la région, et ils m'ont rapporté les prospectus. Quand j'ai vu le nom de Lorenzo Delmonte, je suis tombée des nues. Vous devez être très fier de lui…

Xavier s'obligea à lui rendre son sourire, tout en se dépêchant de ranger les médicaments dans un sac en papier. Il avait hâte qu'elle s'en aille, mais elle semblait déterminée à en apprendre davantage.

— C'était un garçon brillant, poursuivit-elle, je m'en souviens très bien. Volontaire, poli, un peu taciturne et très travailleur. Il était plus scientifique que littéraire, pourtant il avait réussi à obtenir une belle note au bac de français.

Parvenait-elle à se rappeler ainsi tous ses anciens élèves, ou voulait-elle seulement flatter son pharmacien ? Elle faisait partie des fidèles clientes du quartier, de celles qui aimaient bien bavarder dans l'officine, et qui s'arrêtaient longuement sur le trottoir dès qu'elles croisaient une connaissance.

— Félicitez-le de ma part quand vous le verrez, ajouta-t-elle.

Il acquiesça, toujours souriant, mais en réalité très agacé. Fallait-il vraiment qu'il entende parler de son beau-fils jusqu'ici ? Et pourquoi les gens étaient-ils prêts à s'émouvoir dès qu'il s'agissait d'animaux ? Xavier aurait préféré, de loin, qu'on lui demande des nouvelles de Valère ou des filles. Anouk, par exemple, car elle avait fait ses armes dans des restaurants très prestigieux, qu'elle méritait désormais son beau titre de « chef » et ne tarderait pas à monter son affaire. Laetitia avait décroché son diplôme de pharmacienne, et Valère gagnait très bien sa vie, Xavier avait de quoi être fier de ses enfants. *Ses* enfants.

— Un zoo ? s'enquit la nouvelle préparatrice avec curiosité.

Au lieu de lui répondre, Xavier lui fit signe qu'un client attendait, son ordonnance à la main. Ils étaient trois à servir et la pharmacie ne désemplissait pas. L'automne était bien installé, avec un temps pluvieux, et les épidémies de grippe ou de gastro-entérite démarraient, comme chaque année. Xavier était satisfait, ses affaires marchaient bien et il aimait toujours son métier. Mais il ne comprenait pas pourquoi Laetitia était allée s'employer ailleurs, pourquoi elle n'était pas à ses côtés. Il aurait adoré travailler avec elle et lui transmettre son expérience. Elle aurait pu racheter en douceur la pharmacie. Au prix d'un certain endettement, bien sûr, auquel Xavier avait consenti aussi lorsqu'il était jeune. Manquait-elle d'ambition, de courage ? Après six ans d'études et un doctorat de pharmacienne, pourquoi voulait-elle quitter

Paris pour aller s'enterrer au fin fond de la Bretagne ? Quel gâchis ! Ses enfants ne s'étaient donc pas aperçus qu'il devenait difficile de réussir dans un monde de plus en plus compliqué ?

Derrière les comptoirs, ses employés continuaient de discuter à mi-voix entre deux clients, et il était toujours question de ce foutu zoo.

— Avant de s'occuper de la cause animale, essayons plutôt d'aider les humains ! lança-t-il d'un ton faussement joyeux.

Estimant que le sujet était clos, il adressa un sourire affable au client suivant.

*

Lorenzo sortit de sa douche en sifflotant. Il se sentait d'excellente humeur à la perspective de l'hiver qui arrivait. Certes, le climat était rigoureux dans le Jura, mais tout était prévu pour que les animaux sensibles au froid soient bien à l'abri. Et dès la fermeture du parc, les travaux programmés allaient pouvoir démarrer. Les petites maisons de bois destinées aux séjours des visiteurs seraient prêtes en quelques semaines, pour être opérationnelles au printemps. Équipées de larges baies vitrées incassables, elles permettraient aux familles d'observer en toute sécurité des ours ou des loups à la tombée de la nuit. De quoi doter le parc d'un attrait supplémentaire sans perturber les animaux.

— Il va falloir communiquer là-dessus…, dit-il à voix haute.

S'entendre le fit sourire. Il parlait donc tout seul, comme un vieux monsieur qu'il n'était pas. Son regard se posa sur son téléphone portable, qu'il avait jeté sur son lit avant d'aller se doucher. Le texto de Cécile, reçu quelques heures plus tôt, méritait une réponse. Qu'elle prenne l'initiative de l'inviter à dîner ne le choquait pas, depuis toujours il reconnaissait aux femmes le droit de choisir à qui elles voulaient plaire et de faire le premier pas. Mais en avait-il envie ? Être seul ne lui pesait pas, avoir des aventures légères et sans lendemain lui convenait. La rupture imposée par Julia bien des années plus tôt avait été si douloureuse, si longue à accepter, qu'il s'estimait en quelque sorte immunisé contre les grands sentiments. Une certitude absurde, évidemment.

Il tapa rapidement quelques mots sur l'écran pour accepter le rendez-vous. À quand remontait sa dernière sortie en tête à tête avec une jolie fille ? La plupart du temps, il s'écroulait le soir, il rentrait même de moins en moins souvent chez lui, trouvant plus simple et plus pratique de dormir au-dessus de ses bureaux. Sa mère avait raison, il vivait comme un loup solitaire. Autour de lui, la plupart des employés du parc, soigneurs, techniciens ou jardiniers, avaient une vie privée. Une fois leur journée terminée, ils retrouvaient leur conjoint voire leur famille avec plaisir, ce qui ne les empêchait pas d'aimer leur métier et de le faire avec enthousiasme. Alors, pourquoi restait-il seul ? Il était conscient d'avoir laissé sa passion des animaux prendre toute la place, ce qui finirait par provoquer un déséquilibre dans son existence.

Frissonnant, il enfila un peignoir et alla monter le thermostat du radiateur. Pourquoi pensait-il à des choses pareilles ? En général, il était plutôt préoccupé par ses soucis professionnels – tout ce qui restait à faire pour le parc, et qui allait l'accaparer durant des années. Le chantier des travaux, l'agrandissement de certains enclos, le grand nettoyage d'hiver, le programme européen de conservation et de reproduction des espèces menacées, qui disparaissaient à un rythme effréné… Mille choses !

Et un dîner accepté avec Cécile, pour éviter de trop penser à Julia.

— Parce que tu peux bien me raconter ce que tu veux, tu n'es pas guéri, dit-il à son reflet dans le miroir de la salle de bains.

Il devait attendre qu'elle s'en aille. Espérer et redouter le moment où elle disparaîtrait pour de bon, avec Marc et leur enfant. Ce jour-là, il aurait vraiment besoin de combler le vide, il y serait contraint s'il voulait lui aussi construire quelque chose. Sans elle… Pourquoi avait-il pris le risque fou de la laisser seule dès qu'il avait eu son diplôme de vétérinaire en poche ? Comment avait-il pu croire qu'elle patienterait ? Seule pour veiller sur sa mère et l'accompagner jusqu'à la fin, comme elle avait dû se sentir abandonnée ! Pendant ce temps-là, Lorenzo parcourait le monde, échangeait, apprenait, se formait, s'amusait, et téléphonait pour raconter ses passionnantes aventures. Il se souvenait d'une conversation en particulier, durant laquelle il avait décrit par le menu ses journées de stage dans le zoo de Toronto. Julia l'avait laissé parler, la communication n'était pas très bonne, et à la fin elle avait seulement dit d'une voix triste qu'à Paris il pleuvait. Rien d'autre. Comment n'avait-il pas compris qu'il devait rentrer d'urgence ? Parce qu'elle ne se plaignait pas, n'appelait pas au secours, il n'avait rien deviné. Et parce qu'à chacun de ses retours ils partageaient des moments intenses, il avait cru qu'il pouvait continuer à partir et qu'elle continuerait d'attendre. Quel orgueil, quelle bêtise ! La jeunesse n'excusait pas tout. Le désir qu'avait alors Lorenzo de prendre le large non plus. À l'époque, il voulait échapper à Xavier, ne plus dépendre de lui en aucune manière, ni de sa mère par extension, il était pressé de faire ses preuves et de réaliser ses rêves. Julia prétendait le comprendre, elle l'avait rassuré voire encouragé à partir, du moins au début. Mais il avait fait durer le plaisir, et Dieu sait qu'il en éprouvait, avide de découvrir la faune sauvage et étanchant sa soif d'apprendre. La décision de rompre soudain prise par Julia avait été une douche glaciale. Sur le coup, il n'y avait pas cru, pour lui c'était impossible. À ce moment précis, il était au Kenya, dans la réserve du Masai Mara, où il suivait des rangers eux-mêmes à la poursuite de braconniers. Rentrer immédiatement était inconcevable, il avait eu du mal à obtenir son accréditation et n'imaginait pas y renoncer. Trois semaines plus tard, lorsqu'il était revenu en France, Julia avait refusé de le voir et leur histoire s'était arrêtée là. Il conservait un souvenir très vif de la période douloureuse qu'il avait alors vécue, la perte de Julia lui imposant une souffrance aiguë, obsédante et lancinante. Pire encore, il se savait fautif, il portait l'entière responsabilité de leur séparation, de cet échec cuisant. Il avait mis un temps fou à tourner la page, à fréquenter d'autres femmes, et finalement, il en avait bien conscience aujourd'hui, il ne s'en était jamais remis.

Après avoir jeté un coup d'œil par le vasistas et constaté qu'il pleuvait, il consulta les prévisions météo. Il allait faire froid aujourd'hui, sans doute y aurait-il moins de visiteurs. Mais il savait par le comptable que la saison avait été bonne, avec une affluence en augmentation. Il enfila des vêtements chauds, des bottes, prit son talkie-walkie et son téléphone avant de dévaler l'escalier, tout en se demandant depuis combien de temps il n'était pas rentré chez lui, dans sa petite maison de location.

*

Anouk jubilait. Elle venait d'être engagée comme chef par un grand restaurant de Thonon-les-Bains, au bord du lac Léman. L'établissement avait connu des heures de gloire, mais récemment il avait perdu une étoile et ses propriétaires étaient bien décidés à rétablir un niveau d'excellence. Parmi les différentes possibilités qu'Anouk avait étudiées ces derniers mois, celle-ci semblait de loin la meilleure et elle venait de signer.

Celui à qui elle souhaitait d'abord annoncer la nouvelle étant Lorenzo, elle le joignit sur Skype le soir même, selon leur habitude. Pouvoir se regarder en bavardant leur avait permis de rester très proches jusque-là, et la première image que découvrit Lorenzo fut le sourire triomphant de sa sœur.

— Je vois que je ne te réveille pas, vieux frère, tu n'es même pas encore en pyjama !

— Aucune chance, je n'en porte pas.

— Mais tu ne dors pas tout habillé non plus ? Bon, figure-toi que ça y est, j'arrive.

— Où ?

— À deux heures de route de chez toi, de l'autre côté du lac Léman. Le Colvert, ça te dit quelque chose ?

— Non…

— C'est le restaurant dont je vais tenir les fourneaux. Un bel établissement, qui a besoin d'un nouvel élan, et où je pourrai faire parler de moi. Les propriétaires voulaient un chef jeune mais déjà expérimenté. Mon parcours leur a plu, nous sommes tombés d'accord, en particulier sur un salaire très attractif si l'affaire redémarre.

— Magnifique !

— C'est aussi mon avis. Comme je dois descendre là-bas cette semaine pour régler un certain nombre de choses, je compte venir te voir au passage. Mardi, ça irait ?

— Bien sûr. Si tu veux que je t'héberge ce soir-là, je te laisse ma maison. Je n'y suis jamais, je reste au parc la plupart du temps.

— Entendu. Inutile de te dire que papa et maman sont ravis, ils ont promis d'être parmi mes premiers clients.

Aussitôt elle esquissa une petite grimace d'excuse qui fit sourire Lorenzo.

— Je comprends très bien qu'ils se réjouissent, affirma-t-il.

— Mais toi, papa n'est jamais allé te voir…

— Nous savons tous ce qu'il pense de mes activités.

— C'est injuste et blessant.

— Je ne suis pas son fils, il ne m'a jamais intégré dans ses priorités. En revanche, il vous adore tous les trois et il est heureux quand vous réussissez.

Anouk secoua la tête, contrariée.

— Désolée que la conversation ait dérapé, je ne voulais pas te parler de lui.

— Ça ne me gêne pas.

— Moi, oui ! Tu as l'élégance de ne jamais nous faire de réflexions désagréables à son sujet, mais tu n'en penses pas moins, n'est-ce pas ?

Il se contenta de ne pas répondre, et Anouk leva les yeux au ciel.

— Tu sais quoi ? J'ai parfois des remords. Laetitia et moi aurions dû prendre ta défense.

— Vous étiez des gamines, rappela-t-il gentiment.

— Ce n'est plus le cas. Et je dois aussi t'avouer que papa m'a proposé son aide, financièrement, alors qu'il te l'a toujours refusée. Par chance, je n'en ai pas besoin, sinon je me serais sentie mal.

— Oh, arrête avec tes crises de conscience ! Parle-moi plutôt du Colvert.

Il l'écouta tandis qu'elle décrivait en détail le restaurant où elle allait vivre désormais. Elle méritait la chance qui s'offrait à elle et saurait en tirer parti, il n'en doutait pas. Sa passion de la cuisine avait débuté très tôt, il se souvenait d'elle juchée sur un tabouret, à côté de leur mère, alors qu'elle avait à peine quatre ans. Très vite, elle avait fait ses propres gâteaux, puis elle avait commencé à confectionner des plats. Maude s'en était d'abord amusée mais n'avait pas tardé à s'émerveiller devant le talent de sa fille. Intégrer l'école hôtelière avait été une évidence, et, depuis, Anouk n'avait cessé de progresser.

— Toujours pas de petit copain en vue ? demanda-t-il enfin pour la taquiner.

— Ah, tu es mal placé pour poser ce genre de question ! Tu sais bien que nous sommes trop occupés pour ça, toi et moi.

— Mauvaise excuse.

— Peut-être… En tout cas, je ne vois pas où je trouverais le temps de batifoler.

— Tu le trouveras quand tu tomberas amoureuse pour de vrai.

— Faux ! Je te rappelle qu'à l'époque tu n'as pas trouvé de temps pour Julia.

— Et je m'en mords les doigts, crois-moi, répondit-il plus sèchement qu'il ne l'aurait voulu.

Elle le considéra quelques instants en fronçant les sourcils, puis elle se décida à sourire.

— D'accord. J'en tiendrai compte. On se voit mardi ?

— Avec joie.

Il coupa la communication et resta un moment figé devant l'écran devenu noir.

*

— Marc, tu dois le lui dire ! s'exclama Julia.

— Mais ce n'est qu'une impression, j'ai peut-être tort de me faire du souci. Avec ce qui s'est passé à Thoiry l'année dernière, nous sommes tous devenus très méfiants. Trop, sans doute, on voit le mal partout.

— Quoi qu'il en soit, parle à Lorenzo.

— Tu sais comment il est, il prendra ça tellement à cœur qu'il va instaurer des rondes de nuit et mettre toutes les équipes à cran.

— Et alors ? Ça vaut mieux que risquer un accident, non ?

Il quitta la table de la cuisine pour aller refaire du thé.

— Tu en bois énormément, constata-t-il.

— J'ai déjà sacrifié le café, j'ai besoin de mon thé le matin.

— Comme tu voudras, admit-il à regret, mais c'est un excitant aussi.

Elle l'observa tandis qu'il remettait en marche la bouilloire et vidait le fond de la théière avec des gestes précis. Marc était un homme calme, mesuré, il ne s'affolait pas pour un rien, néanmoins il avait éprouvé le besoin de lui raconter l'impression de malaise ressentie aujourd'hui.

— Ces deux types ont traîné un moment près de l'enclos des éléphants et je les ai trouvés un peu bizarres. Mais ils n'ont rien fait de répréhensible. C'est juste que… Je ne sais pas.

— À Thoiry, ceux qui ont flanqué trois balles dans la tête de ce malheureux rhino pour scier sa corne avaient dû faire des repérages eux aussi ! Pourquoi as-tu remarqué ces deux-là ?

— Ils prenaient des photos, comme tout le monde bien sûr, mais ce n'étaient pas les animaux qu'ils visaient.

— Quoi d'autre ?

— La végétation, les clôtures, plutôt l'environnement que les éléphants eux-mêmes. Remarque, certains visiteurs sont séduits par le boulot de nos paysagistes.

— Je n'y crois pas une seconde. Devant un pachyderme, tu ne t'intéresses pas aux plantations !

Marc lui apporta une tasse de thé fumant et se rassit en face d'elle.

— Bien, soupira-t-il, je vais en toucher un mot à Lorenzo. Mais je te préviens, si l'on doit monter la garde de nuit, tu ne feras pas partie des veilleurs.

— Parce que je suis une femme ? ricana-t-elle.

— Parce que tu es enceinte. Pour le reste, les femmes seront forcément mises à contribution puisqu'elles représentent la moitié des soigneurs. Je suppose qu'on pourra faire des équipes mixtes.

Julia hocha la tête, se demandant comment Lorenzo allait réagir.

— Les animaux les plus en danger sont les éléphants pour leurs défenses, mais aussi les hippos pour leurs grosses canines qui intéressent le trafic de l'ivoire, rappela-t-elle. La corne des rhinos relève de superstitions stupides, ce n'est que de la kératine, mais ça vaut une fortune sur le marché parallèle, en Chine ou au Vietnam. Comme les yeux du tigre, censés guérir le paludisme ! Un parc zoologique est une mine d'or pour les braconniers, qui n'hésitent plus à venir se servir en Europe. Et on ne pourra même pas leur tirer dessus comme les rangers en Afrique…

Elle semblait le regretter, ce qui fit sourire Marc. Il tendit la main à travers la table et saisit celle de Julia.

— Ma chérie, te voilà bien agressive.

— Ne mets pas ça sur le compte de ma grossesse, veux-tu ? En fait, je suis révoltée. La meilleure solution serait de recourir à des vigiles ou à une société de surveillance, mais nous n'en avons pas les moyens.

Marc devinait que Julia, lors de ses conversations avec Lorenzo, apprenait beaucoup de choses sur le fonctionnement du parc, par exemple des détails financiers auxquels il n'avait pas accès. Une complicité supplémentaire entre eux. Il fit un effort pour chasser la pointe de jalousie qu'il éprouvait et revenir au sujet qui le préoccupait. Les deux hommes qu'il avait repérés par hasard et observés de loin à plusieurs reprises représentaient-ils une quelconque menace, ou se faisait-il des idées ?

— Appelle Lorenzo maintenant, insista Julia. Il décidera.

Elle prit un biscuit qu'elle mâchonna sans appétit tandis qu'il téléphonait. Elle habitait désormais chez Marc, un pavillon moderne à l'ambiance très masculine avec de gros fauteuils club et des murs taupe dans le séjour, une cuisine fonctionnelle où l'acier dominait, des placards en teck dans la chambre. Perfectionniste, Marc avait soigné une décoration minimaliste où régnait l'ordre. Julia n'avait rien changé, sachant que s'ils se décidaient à fonder une famille ils déménageraient. Mais finalement elle ne se sentait pas très à l'aise dans cette maison, ne l'ayant pas investie. Pourquoi ne parvenait-elle pas à se projeter davantage ? Même si elle essayait de ne pas y penser, elle n'était plus aussi sûre d'elle que quelques mois plus tôt. Éprouvait-elle autant d'attirance pour Marc qu'au début de leur relation, quand leurs destins n'étaient pas encore liés par ce bébé à venir ? L'insouciance avait cédé la place aux questions, aux responsabilités, aux décisions lourdes de conséquences.

— Tu devrais aller te coucher, suggéra Marc avec un sourire encourageant. Je vais rejoindre Lorenzo au parc pour une petite réunion de crise mais je ne serai pas long, promis.

Perdue dans ses pensées, elle n'avait pas entendu ce qu'il disait au téléphone. Elle aurait aimé l'accompagner, elle se sentait exclue, presque inutile soudain. Devant une éventuelle menace, ils allaient tous faire bloc, solidaires et efficaces, alors qu'elle resterait seule dans son coin, loin de l'action, bien à l'abri.

Elle se leva un peu vite et sa chaise faillit basculer. Elle la rattrapa par le dossier, s'efforça de sourire.

— Tu me raconteras, dit-elle seulement.

Pourquoi lui en voulait-elle ? Il n'y était pour rien. Il faisait son travail et le faisait bien, en tant que chef animalier il avait l'œil à tout – la preuve, il avait repéré ces visiteurs au comportement anormal. Néanmoins, entre eux quelque chose avait changé. Leurs rapports n'étaient plus les mêmes qu'au début. Dans la hiérarchie du personnel du parc, les vétérinaires se trouvaient en haut de l'échelle et étaient décisionnaires. Elle se souvenait de nombreux moments où Marc était venu lui demander son avis sur tel ou tel animal et où il l'avait écoutée avec attention. Ils discutaient alors ensemble avec plaisir. Mais depuis qu'elle attendait un enfant – *leur* enfant –, il était devenu protecteur, presque autoritaire, il semblait vouloir la mettre sous une cloche et elle détestait ça. Comment le lui faire comprendre ?

Elle gagna la chambre, d'où elle l'entendit partir en voiture. Il fallait vraiment qu'elle se reprenne, qu'elle chasse ses idées sombres, qu'elle voie l'avenir sous un jour stimulant. Elle se déshabilla entièrement et, avant d'enfiler un peignoir, se considéra quelques instants dans le miroir en pied accroché à la porte de la salle de bains. Son ventre s'était à peine arrondi, mais elle savait son corps en proie à de grands bouleversements hormonaux. Elle se demanda si elle était heureuse, mais se poser la question était déjà très inquiétant. Elle se lava les mains, se brossa les dents, toujours songeuse et mal à l'aise. Depuis une dizaine de jours, elle avait remarqué les fréquents coups d'œil que lui jetait Lorenzo lorsqu'ils se croisaient dans les allées ou lorsqu'ils travaillaient ensemble. Mais au moins il ne lui donnait aucun conseil, ne lui suggérait pas de « se ménager », la considérant sans doute suffisamment adulte pour s'occuper d'elle-même. D'ailleurs, à l'époque de leur belle histoire d'amour, ils avaient toujours été sur un pied d'égalité, attentifs à l'autre sans jamais être intrusifs ou directifs.

— Belle histoire d'amour…, chantonna-t-elle.

Qui appartenait au passé. Une époque révolue. La nostalgie qu'elle éprouvait concernait sa jeunesse, ses années d'étudiante à Maisons-Alfort, toutes les illusions qu'elle nourrissait alors sur la vie qui l'attendait.

En se glissant sous la couette, elle poussa un long soupir de regret, et aussi de frustration.

*

— Tu avais *oublié* de m'en parler ? s'étonna Lorenzo.

— Je ne t'ai pas croisé, tu étais encore à la clinique quand je suis parti, et tu n'aimes pas y être dérangé.

— Je commandais des produits vétérinaires au représentant du labo. Tu aurais dû m'envoyer un texto.

— C'est vrai, admit Marc. Mais je te le répète, les deux types n'ont rien fait de répréhensible. Ils étaient juste… un peu louches.

— Ils sont restés longtemps ?

— Je l'ignore. On m'a bipé pour un petit souci chez les grizzlis, et quand je suis revenu, ils n'étaient plus là.

— Tu les as cherchés ?

— Sans succès. En tout cas, si je les revois, je les reconnaîtrai et je ne les lâcherai pas d'une semelle.

Marc semblait de bonne foi, cependant Lorenzo était contrarié de n'avoir pas été informé sur-le-champ. Il resta silencieux un moment avant de reprendre la discussion.

— Il va falloir faire des rondes de nuit. Je refuse de courir le moindre risque.

— Je pensais bien que tu dirais ça… Sauf qu'on ne peut pas demander ce nouvel effort aux soigneurs. Ils sont tous très consciencieux et ils font déjà bénévolement des heures supplémentaires dès qu'un animal est malade ou qu'une femelle est sur le point d'avoir ses petits. On ne va pas leur suggérer, en plus, de veiller la nuit à tour de rôle ! Embauche des vigiles.

— Des gens qui ne connaissent pas le parc ? répliqua Lorenzo. Et à qui on va expliquer que des loups, des tigres ou des ours restent parfois dehors ?

— En suivant les allées, comme les visiteurs, ils n'auront rien à craindre.

— Ils seront forcément terrifiés, et tu le sais. Du coup, ils resteront enfermés.

— Alors, quelle solution ?

— Je vais y réfléchir… J'organiserai une consultation demain matin, pendant le briefing quotidien. D'ici là, j'aurai joint le comptable pour savoir si on dispose d'une marge à utiliser sous forme de primes ou d'heures supplémentaires pour les volontaires.

Marc eut une petite moue sceptique avant de marmonner :

— Tout ça à cause de moi. Et si je m'étais trompé ?

— Et si tu avais raison ? En admettant que tes deux types aient réellement effectué des repérages en vue d'une intrusion, je suppose qu'ils auront besoin d'un peu de temps pour se préparer. Même dans le pire des cas, ce ne sera sans doute pas pour cette nuit. Mais à tout hasard, je vais veiller.

— Une nuit blanche ? Tu es cinglé ! Tu croules sous le boulot, Lorenzo, tu ne tiendras pas longtemps à ce rythme-là. On a besoin de toi pour des choses plus importantes que monter la garde. J'aurais dû ne pas écouter Julia et attendre demain matin pour te parler.

— C'est Julia qui a insisté ? s'enquit Lorenzo avec un sourire amusé.

— Tu la connais.

Il hésita une seconde puis ajouta, narquois :

— Tu la connais même très bien, n'est-ce pas ?

L'atmosphère se tendit brusquement. Jusqu'ici, Marc avait évité toute allusion, mais apparemment celle-ci ne lui avait pas échappé, elle était délibérée.

— Est-ce que ça te pose un problème ? demanda Lorenzo d'un ton calme.

Ne lâchant pas Marc du regard, il attendit une réponse qui ne vint pas.

— Le passé ne compte pas, reprit-il. Nous sommes restés simplement bons amis et je m'en réjouis, d'autant plus que Julia fait de l'excellent travail. Avais-tu besoin de cette mise au point, Marc ? De toute façon, je crois que vous ne comptez pas rester une fois que le bébé sera là, alors…

— Elle veut partir ? Tu me l'apprends, nous n'avons encore rien décidé, elle et moi.

Cette fois, Marc semblait en colère. Comment la discussion avait-elle pu déraper de cette manière ?

— Bon, on se voit demain matin, décida Lorenzo pour couper court à la conversation.

Il raccompagna Marc jusqu'à la porte de son bureau et se retint de lui taper sur l'épaule comme il avait l'habitude de le faire. Apparemment, leurs rapports étaient en train de se dégrader, ce qui était regrettable. Il avait pourtant veillé à ne pas se montrer trop familier envers Julia, mais la tendresse qu'il conservait pour elle devait être perceptible. Peut-être l'avait-elle remarquée aussi, puisque l'idée d'un départ émanait d'elle. Voulait-elle se mettre à l'abri du genre de réaction que Marc venait d'avoir ?

Julia, Marc, le bébé... Il devait impérativement cesser d'y penser. D'ailleurs, il avait d'autres soucis, dont la sécurité des animaux. Il grimpa en vitesse l'escalier conduisant à la chambre aménagée au-dessus de son bureau. La nuit serait froide, il devait trouver des vêtements chauds pour effectuer ses rondes, s'équiper d'une torche puissante garnie de piles neuves, recharger son téléphone portable et préparer une thermos de café. Il ne possédait pas d'arme, mais il ne s'en serait jamais servi de toute façon.

Effectuer une visite complète du parc prenait trop de temps ; il décida qu'il en ferait plutôt le tour en longeant les clôtures pour vérifier qu'aucune n'avait été forcée, et qu'ensuite il irait jeter un coup d'œil chez les éléphants, les tigres et les rhinocéros, qui lui paraissaient plus susceptibles que les autres animaux de faire l'objet d'une attaque. Ne pouvant pas passer la nuit entière à marcher, il espéra qu'une ronde toutes les deux heures serait suffisante.

*

Cécile avait accepté de transformer le dîner en déjeuner, ainsi que les excuses de Lorenzo. Elle avait même poussé la complaisance jusqu'à le rejoindre au parc, sous l'immense véranda réservée à une restauration rapide qui n'aurait qu'un rapport très lointain avec le repas gastronomique et – pourquoi pas – romantique qu'elle avait espéré. Au moins, il n'avait pas purement et simplement proposé d'annuler.

Il n'y avait pas beaucoup de monde sous la véranda, le temps pluvieux et froid de novembre ayant sans doute découragé les visiteurs. Elle repéra Lorenzo qui bavardait avec l'un des employés, derrière le comptoir des plats chauds. Il l'aperçut et en la rejoignant il lui adressa un gentil sourire qui la fit fondre.

— Désolé pour le contretemps, nous avons eu pas mal de problèmes...

Il s'empara de deux plateaux puis désigna les bacs.

— Choisissez ce que vous voulez, vous verrez, ce n'est pas mauvais du tout. Nous veillons à la qualité des produits tout en maintenant des prix serrés. Dès qu'il fait froid ou qu'il pleut, les gens préfèrent manger ici, ce qui leur épargne de se charger d'un pique-nique. D'autant plus que nous avons un menu très attractif mais très diététique pour les enfants.

— Vous feriez un excellent représentant de commerce ! dit-elle en éclatant de rire.

Elle choisit une portion de poulet à l'estragon, des pommes de terre et une salade de haricots verts, remarquant au passage que les plats étaient présentés dans de jolies barquettes en carton et qu'il n'y avait pas d'assiettes.

— Tout est jetable et recyclable, poursuivit-il, y compris les gobelets. En revanche nous avons conservé les couverts en métal, qui sont plus pratiques pour manger. Voulez-vous un quart de vin, blanc ou rouge ?

Chargés de leurs plateaux, ils gagnèrent une table près des vitres.

— Bon, c'est assez frugal, comme repas, déclara-t-il avec une mimique d'excuse, mais au moins j'ai le plaisir de vous voir.

Surprise par ce compliment qu'elle n'attendait pas, elle ne sut pas quoi répondre. Elle goûta le poulet, qu'elle trouva bon, puis la salade, dont les haricots étaient croquants.

— Vous avez un cuisinier à plein temps ?

— Nous devons satisfaire les demandes, qu'il y ait cinquante clients ou trois cents, alors vous imaginez... Le parc a accordé la concession à une petite entreprise qui fait travailler les producteurs locaux, j'y veille personnellement.

— J'ai l'impression que vous faites des doubles ou même des triples journées, non ?

Il se mit à rire, éludant ainsi la question. Puis, au bout de quelques instants, il précisa :

— Je me donne à fond pour assumer mon rôle de directeur, ce parc est mon bébé, je fais attention aux détails. Et je me donne aussi à fond dans mon métier de vétérinaire, pour lequel j'ai une véritable passion. Quand je pense à mes confrères qui ne voient que des chats et des chiens ou encore des lapins nains à longueur d'année, je réalise ma chance. M'occuper d'animaux sauvages était un rêve d'enfant.

Elle se demanda quel genre d'enfant il avait pu être. Puis elle se souvint de son frère, Valère, qui ne lui ressemblait pas du tout.

— D'où vous vient votre prénom italien ?

Connaissant son état civil, elle savait qu'il ne s'agissait pas d'un diminutif ou d'un surnom.

— De mon père. Je n'en ai quasiment aucun souvenir, il s'est tué en voiture quand j'avais trois ans. Mais j'ai fait de fréquents séjours dans le Piémont, chez mon grand-père, et grâce à lui j'aime beaucoup l'Italie.

Il avait parlé vite, comme s'il ne souhaitait pas se raconter. Elle jugea donc plus prudent de le ramener sur son terrain de prédilection.

— Votre dossier est en très bonne voie, déclara-t-elle gaiement. Je suis sûre que vous obtiendrez vos subventions, on vous apprécie beaucoup au conseil régional.

— Tant mieux, parce que les besoins du parc sont en constante augmentation. Mon paysagiste a des idées grandioses, et les soigneurs des tas de suggestions pour améliorer ceci ou cela. Toutefois mon souci du moment concerne la sécurité, non pas des visiteurs, qui sont très bien protégés, mais de certains animaux, qui peuvent être la cible de gens prêts à tout pour du fric. Nous avons récemment repéré des individus au comportement anormal et nous avons mis en place une surveillance nocturne accrue. Voilà pourquoi je n'ai pas pu dîner avec vous, car j'essaie de glaner quelques heures de sommeil par-ci par-là.

À l'évidence, il ne cherchait pas à lui faire du charme, pourtant elle était conquise. En le regardant et en l'écoutant, elle se sentait comme une gamine en train de tomber amoureuse pour la première fois, ce qui était en même temps ridicule et délicieux. Cet homme n'avait pas de place pour une femme dans sa vie surmenée. Sauf si… Mais elle ne savait même pas si elle lui plaisait, s'il ne l'avait pas invitée à déjeuner uniquement parce qu'elle avait insisté ou parce qu'il avait besoin d'elle.

— Je ne veux pas vous retarder, risqua-t-elle.

— Oh, j'ai bien le temps de boire un café ! En prendrez-vous un ? Ne bougez pas, je vais les chercher.

Pendant qu'ils mangeaient, la véranda s'était un peu remplie. Des enfants, les joues rouges et l'air encore émerveillé, réclamaient des portions de frites maison, des couples discutaient avec entrain, des gens allaient jeter leurs barquettes et leurs gobelets vides dans de grandes poubelles en bois. Effectivement, on notait un véritable effort écologique à travers tout le parc. Mais pour l'instant Cécile s'en moquait, elle n'était pas là pour évaluer l'établissement. Elle suivit Lorenzo du regard, appréciant sa silhouette athlétique. Comment allait-elle s'y prendre pour provoquer un autre rendez-vous ? Cet homme la fascinait, elle n'avait pas eu un tel coup de cœur depuis bien longtemps, et même peut-être jamais. Habituée à plaire et se sachant jolie, elle n'avait pas besoin de draguer, on venait à elle. Sauf dans ce cas précis, où elle allait devoir prendre à nouveau l'initiative.

Elle vit Lorenzo zigzaguer entre les tables pour la rejoindre, deux gobelets fumants dans les mains. Il se rassit en face d'elle sans manifester d'impatience alors qu'il devait avoir mille choses à faire en plein milieu de la journée. Était-ce un signe encourageant ? Elle décida d'en profiter et de tenter sa chance.

— J'ai passé un très bon moment avec vous. Peut-on envisager de remettre notre dîner manqué à plus tard ?

Il eut un sourire désarmant, marqua une brève hésitation puis acquiesça.

— Le parc va bientôt fermer pour trois semaines. Je n'aurai pas moins de travail, mais je serai heureux de m'accorder une pause.

Après avoir récupéré les gobelets vides, il se leva.

— Je vous appelle ? proposa-t-il.

Elle aurait préféré une date fixe à un coup de téléphone hypothétique, mais elle fit bonne figure.

— À très vite, dit-elle en lui tendant la main.

Il la garda deux secondes de plus que nécessaire, ce qu'elle interpréta comme une petite victoire. Mais il se détourna en hâte et fila vers la sortie. Elle remarqua alors qu'une pluie fine s'était remise à tomber tandis que les vitres de la véranda s'embuaient. Un temps décourageant pour les visiteurs. Il fallait pourtant que les entrées augmentent pour assurer la rentabilité du parc. Les remarques de Valère concernant le manque de communication lui revinrent en mémoire. Elle pouvait améliorer les choses. Avant tout, vérifier sur Internet que le site du parc était attractif, bien détaillé et riche en images. Contacter les médias locaux et les pousser à venir faire des reportages sur place. Attirer l'attention de l'office de tourisme, s'assurer que le balisage routier était clair sur toutes les voies d'accès. Bref, beaucoup de choses à mettre en place d'ici à la réouverture. Ce qui lui fournirait bon nombre de prétextes pour contacter Lorenzo s'il oubliait de la rappeler !

Satisfaite d'elle-même, elle quitta la table à son tour et décida de rentrer directement chez elle, car, en réalité, les animaux sauvages ne la passionnaient pas.

*

Arpentant d'un pas militaire la grande cuisine du Colvert, qui allait devenir son royaume, Anouk lança à son frère :

— Tu ne peux pas savoir à quel point je suis heureuse que tu sois venu jusqu'ici. Je voulais tellement te montrer tout ça !

D'un geste large, elle désigna les longs plans de travail en inox, les armoires frigorifiques, l'imposant piano de cuisson, les batteries de casseroles.

— De l'excellent matériel, qu'un simple nettoyage va remettre en parfait état. Qu'en penses-tu ?

— Pas grand-chose, car je ne sais faire que des pâtes…

Lorenzo éclata de rire et vint prendre sa sœur par la taille.

— Tu vas réaliser des merveilles ici !

— Il le faut, je n'ai pas droit à l'erreur. Les grands chefs se connaissent tous entre eux, c'est un petit milieu où on sait très vite qui est qui et qui fait quoi. On va me guetter, me tester, me juger.

Elle ouvrit l'un des frigos, désigna les clayettes, toutes vides sauf une.

— J'ai acheté deux ou trois trucs pour te faire une omelette, histoire d'inaugurer les lieux. En attendant, viens voir le reste.

Elle poussa les portes battantes, trouées de hublots, qui donnaient sur la salle du restaurant.

— Décoration vieillotte et compassée. Je vais faire appel à un architecte d'intérieur pour rafraîchir les lieux. D'ailleurs il y a trop de tables, je veux une ambiance plus aérée.

— Tu sais toujours ce que tu veux, s'amusa-t-il.

— Comme toi ! Et pourtant, on ne tient pas ça de maman…

Il ne releva pas ce qu'elle venait d'insinuer. Maude n'avait pas su préserver Lorenzo, évitant ainsi les conflits avec Xavier. Mais il comprenait sa mère et ne lui en tenait pas rigueur. Xavier lui avait apporté le confort matériel, une vie de famille avec d'autres enfants, et il lui avait aussi permis d'élever son fils aîné. Qu'aurait-elle pu espérer de plus ? Elle s'était retrouvée veuve trop jeune, avec un petit garçon dont elle devait assurer l'avenir. Grâce au choix qu'elle avait fait, Lorenzo n'avait manqué de rien, il avait pu suivre de longues études et réaliser son ambition de devenir vétérinaire.

— Tu as une mine épouvantable, dit soudain Anouk en le dévisageant. Et tu es maigre comme un chat errant. Tu as des soucis ?

— Plein ! Mais qui n'en a pas ?

Ils regagnèrent la cuisine, éclairée crûment par des rangées de néons. Leur présence dans ce lieu désert avait quelque chose de fantomatique qui fit sourire Lorenzo. Sa sœur était comme lui, elle n'avait pas peur de grand-chose. Bientôt, elle officierait ici au milieu de ses marmitons, mais ce soir elle pilotait ses fourneaux sans aide. Et même si Lorenzo n'était pas venu la rejoindre, elle se serait fait son omelette avec entrain en guise d'inauguration. Il la regarda battre les œufs et les assaisonner, hacher une échalote, couper le pied des morilles. Puis elle sortit d'un frigo des dés de foie gras.

— Gastronomique, ton omelette !

— Il s'agit de te remplumer… et c'est le plat unique de notre dîner. Prends deux assiettes dans la pile, là-bas, et débouche donc le vin.

En lisant l'étiquette de la bouteille, il siffla d'admiration.

— D'où sors-tu ce gevrey-chambertin ?

— De la cave. Elle contient des merveilles soigneusement répertoriées, mais je pense qu'on ne m'en voudra pas d'en avoir prélevé une ! 2009 est une bonne année pour ce cru. De toute façon, il va falloir embaucher un sommelier. Ce qui me réjouit, car j'adore discuter avec les sommeliers des accords entre mets et vins. Tout un monde de saveurs !

Pour échapper aux néons de la trop vaste cuisine, Lorenzo repartit vers la salle du restaurant et disposa leur couvert sur l'une des tables rondes, un peu à l'écart, puis il testa toutes les lumières avant de trouver un éclairage plus intime. Il déboucha le vin, le huma et emplit à moitié deux verres. Quand Anouk le rejoignit, portant l'omelette sur un plat, ils échangèrent un sourire attendri.

— Merci d'être là, Lorenzo, redit-elle.

— Je te souhaite une belle aventure au Colvert, et je suis sûr que le succès sera au rendez-vous !

L'omelette était délectable, le vin exquis, ils les savourèrent en silence.

— Tu vises une étoile au Michelin, j'imagine ? finit par dire Lorenzo en repoussant son assiette vide.

— Pour commencer.

— Rien que ça !

— Avoir de l'ambition est un atout. Je vais faire de mon mieux et on verra bien ce que vaut ce « mieux ».

— Où comptes-tu habiter ?

— Au-dessus de cette salle. Les propriétaires mettent un appartement à ma disposition. Pas luxueux, mais propre et fonctionnel.

— J'espère que tu t'y plairas.

— C'est secondaire. En tout cas, essayons de nous voir de temps en temps, même si nous sommes aussi occupés l'un que l'autre. J'irai admirer tes nouveaux pensionnaires et tu viendras goûter mes nouveaux plats, d'accord ?

Ils échangèrent un regard complice, puis Lorenzo déclara, avec une désinvolture très étudiée :

— J'ai rencontré quelqu'un.

— Ah bon ? Et tu ne me le dis que maintenant ?

— Je ne suis pas sûr de moi. Mais enfin, elle me plaît bien.

— Comment s'appelle-t-elle ?

— Cécile. Cécile Leroy.

— Et tu as des...

— Des projets ? C'est bien trop tôt pour y penser ! Nous n'en sommes qu'au tout début. Elle m'a fait comprendre qu'elle me trouve à son goût, ce qui est flatteur pour moi parce qu'elle est très jolie, et je t'avoue que je tenterais bien l'aventure. Enfin, quand je dis « aventure », le mot est mal choisi, je rêve au contraire d'une vraie relation.

— Tu cherches à te caser ?

— Non, mais être toujours seul est pesant à la longue.

Anouk parut réfléchir à ce que son frère venait de lui confier.

— Tu vas enfin remplacer Julia, alors ? Ce serait vraiment bien que tu ne penses plus à elle, que tu t'épanouisses avec une autre.

Lorenzo réprima un geste d'agacement avant de marmonner :

— Je ne la remplacerai jamais et je n'ai aucune envie de l'oublier. Mais je vais essayer d'avancer, de construire quelque chose. Je suppose qu'il est temps.

Sentant son portable vibrer dans sa poche, il le sortit pour lire le message que Marc venait de lui envoyer. « *Rien à signaler. Nous sommes trois à faire des rondes à tour de rôle et tout est calme. À demain.* »

— Un problème ? s'enquit Anouk.

— Non, heureusement.

Il lui expliqua ses inquiétudes concernant certains animaux du parc, ainsi que la manière dont il avait mis en place un système de surveillance nocturne.

— Mais c'est provisoire, les soigneurs s'en chargent bénévolement jusqu'à la fermeture. Après, je ne sais pas comment je vais m'organiser.

— Tu ne peux pas faire appel à une société privée ?

— Ce serait ruineux. Je pense plutôt installer des caméras de surveillance à proximité des enclos les plus menacés. Pour les bâtiments, nous avons déjà des alarmes.

— Et qui donc passera ses nuits à regarder les écrans ? Toi ?

— On verra, éluda-t-il avec un geste fataliste.

Anouk vida le fond de la bouteille dans leurs verres. Ils avaient réservé des chambres dans un petit hôtel proche afin de pouvoir profiter de la soirée sans se soucier de la route à faire.

— Je n'ai pas de dessert à t'offrir, regretta Anouk. En revanche, j'ai acheté un mont d'or que je peux mettre au four si ça te tente.

— Je suis preneur !

L'air gourmand de Lorenzo fit rire sa sœur.

— Je pensais bien qu'avec ton solide appétit une omelette ne suffirait pas puisque tu passes toutes tes journées dehors. Et comme la plupart des hommes seuls tu dois très mal te nourrir.

— Faux. Je déjeune quasiment tous les jours dans notre restaurant.

— *Restaurant* ? Le mot est excessif, non ?

— D'accord, c'est de la restauration rapide, pourtant la nourriture est tout à fait correcte.

— Alors explique-moi pourquoi tu es famélique ! Tu devrais dire à ton cuistot de grossir ses portions.

— Impossible, elles sont calibrées. Si tu savais combien de personnes déjeunent chez nous tous les jours ! Il n'est évidemment pas question de gastronomie, rien à voir avec ce que tu fais, mais je maintiens que les aliments que nous servons sont bons, sains et issus d'une agriculture locale. C'était un défi, que nous avons relevé parce que je voulais être un exemple pour les autres parcs. Inutile de prétendre s'intéresser à la préservation des espèces si c'est pour faire du fric en proposant n'importe quoi à nos visiteurs !

Ils retournèrent à la cuisine pour mettre le mont d'or au four puis descendirent dans la cave voûtée où étaient rangées une multitude de bouteilles.

— En attendant la réouverture, tu ne crains pas d'être cambriolée ?

— L'alarme est très sophistiquée, et les propriétaires bien assurés. Et puis, il faudrait être connaisseur…

Elle longea les casiers, s'arrêtant ici ou là pour lire les étiquettes.

— Ah, voilà un pommard que je goûterais volontiers !

Derrière elle, Lorenzo se mit à rire. Voir sa petite sœur, si jeune et si menue, se comporter avec tant d'assurance et de détermination le réjouissait.

— Tu es une fille formidable, lui dit-il gaiement.
— Parce que j'aime le bon vin ?
— Parce que tu aimes la vie !
Il lui prit la bouteille des mains et ils remontèrent l'escalier de pierre jusqu'à la cuisine, où planait une alléchante odeur de fromage en train de fondre.

*

Sourire aux lèvres, Julia fit défiler sur l'écran les différents modèles de grenouillères et de pyjamas. Pour l'instant, elle ignorait encore si elle portait une fille ou un garçon, mais sans doute l'apprendrait-elle lors de la prochaine échographie. En attendant, elle pouvait commander quelques articles de puériculture : biberons, matelas à langer, hochets, couffin… Toutefois, elle hésitait encore. Tant qu'elle ne saurait pas où elle allait habiter, où elle allait travailler, elle ne parviendrait pas à imaginer sa vie de future maman. « Mère de famille » était d'ailleurs une expression qui la laissait perplexe. Saurait-elle endosser ce rôle ? Le congé maternité commençant six semaines avant l'accouchement et se terminant dix semaines après, son activité de vétérinaire salarié allait connaître quatre mois d'interruption. Pour sa part, Marc ne comptait pas s'arrêter, et il lisait toutes les annonces professionnelles pour essayer de dénicher un poste intéressant. Mais il semblait improbable de trouver du travail pour eux deux au même endroit. Le parc Delmonte leur avait offert une chance unique.

À moins que… Séparer la vie professionnelle et la vie familiale pouvait présenter des avantages. Julia avait bien senti chez Marc les pointes d'aigreur qu'il tentait de dissimuler. De plus en plus souvent, il discutait ou contestait les décisions de Julia, comme s'il cherchait l'affrontement, comme s'il avait besoin de s'affirmer, alors qu'il était un excellent chef animalier. Ne plus travailler ensemble ferait sans doute disparaître cette tension.

Sur l'écran, les photos de biberons se brouillèrent et Julia s'aperçut qu'elle avait les larmes aux yeux. Chaque fois qu'elle pensait à son départ du parc, elle se sentait triste, et chaque fois qu'elle essayait de se projeter dans l'avenir avec Marc et le bébé elle éprouvait une sourde angoisse. Bon sang, pourquoi avait-elle voulu un enfant si vite ? Elle se le reprochait, elle aurait dû attendre d'avoir la certitude que Marc était bien l'homme de sa vie. Or elle en doutait à présent, et c'était terrifiant.

Elle se mit carrément à pleurer, soulagée de pouvoir se laisser aller. Marc ne rentrerait pas de la nuit, il faisait des rondes au parc avec d'autres soigneurs, autant en profiter pour lâcher la pression. Demain matin, elle serait calmée et l'accueillerait de bonne humeur. Elle irait même jusqu'à lui préparer un solide petit déjeuner ! Marc était quelqu'un de bien, de responsable, de séduisant, et tous les doutes qu'elle éprouvait étaient sûrement dus aux bouleversements hormonaux liés à sa grossesse. Voilà.

Se raccrochant à cette idée rassurante, elle ferma son iPad, qu'elle déposa sur la table de nuit, puis elle se pelotonna sous la couette et commença à somnoler. Un peu plus tard, alors qu'elle était en train de s'endormir, la sonnerie de son téléphone la fit sursauter.

— Ma chérie, je te réveille ?

— Pas vraiment… Qu'est-ce qui se passe, Marc ?

— Ici, on a eu droit à un vrai rodéo ! Deux jeunes se sont introduits dans le parc et on les a repérés, coursés, rattrapés ; ensuite on a appelé la gendarmerie. Mais finalement ces deux mômes étaient mineurs et avaient fait un pari stupide avec des copains. Rien à voir avec de véritables voyous, d'ailleurs ils n'avaient pour toute arme que leurs téléphones portables. Ils s'imaginaient faire des selfies devant l'enclos des lions ou des éléphants. Comme si on les laissait dehors ! Au bout du compte, on a bien rigolé avec Philippe et Bénédicte, qui montent la garde avec moi cette nuit. Là, nous sommes en salle de repos et on se prépare du café avant de repartir faire une ronde. On reste ultra-vigilants !

Il semblait surexcité. La poursuite des gamins avait dû provoquer une montée d'adrénaline et il avait besoin de parler.

— J'ai préféré prévenir Lorenzo, poursuivit-il, même si tout ça n'est pas bien grave, parce qu'il m'en aurait voulu de ne pas l'avoir tenu au courant en temps réel. Mais il est à Thonon et ne rentrera que demain matin. En attendant, il bouillait de rage. Savoir que des jeunes escaladent les clôtures et se baladent la nuit dans le parc pour s'amuser, ça le rend dingue.

— Je le comprends !

— Le mieux serait qu'il arrive à obtenir une subvention supplémentaire pour faire installer des caméras et des éclairages automatiques. J'espère que sa nouvelle copine pourra l'aider à convaincre nos partenaires.

— Sa copine ?

— Oui, cette jolie fille avec laquelle on l'a vu plusieurs fois, y compris en train de déjeuner au restaurant du parc.

Julia resta silencieuse quelques instants. Elle voyait très bien de qui il s'agissait, puisqu'elle avait été la première à remarquer l'intérêt de Lorenzo pour cette belle blonde. C'était réjouissant de penser qu'il allait peut-être enfin tomber amoureux. Quoiqu'elle ne se sentît pas exactement *réjouie* par cette nouvelle.

— Tu es toujours là ? s'enquit Marc d'un ton plus distant.

Était-il en train de se demander si elle n'appréciait pas ce qu'elle venait d'entendre ?

— Pourvu qu'on trouve une solution pour protéger le parc de toute incursion ! dit-elle très vite. Ces veillées nocturnes ne peuvent pas durer. Tu dois être épuisé, non ?

— Oh, ça va, on se repose à tour de rôle… Et à propos, je vais te laisser dormir, je suis désolé de t'avoir réveillée. Je t'aime, ma chérie.

— Moi aussi. Fais attention à toi.

Devinant que le sommeil allait la fuir, au lieu de s'allonger à nouveau elle quitta son lit pour aller se préparer une infusion. Lorenzo devait trépigner, coincé à Thonon, où il avait passé la soirée avec sa sœur. Julia se souvenait très bien d'Anouk, qu'elle avait rencontrée à plusieurs reprises pendant sa liaison avec Lorenzo, et dont il parlait souvent. À l'époque, la jeune fille venait de commencer l'école hôtelière, aussi appliquée qu'enthousiaste, et elle se voyait déjà grand chef. Elle avait fait son chemin depuis, jusqu'à ce restaurant, le Colvert, où elle espérait s'illustrer. Lorenzo avait donné à Julia tous les détails de cette installation, qui le réjouissait par sa proximité. Il se confiait à elle spontanément, alors qu'il était réservé avec la plupart des gens. Entre eux la compréhension était naturelle : ils restaient aussi complices que s'ils ne s'étaient jamais quittés…

Debout dans la cuisine, elle réalisa qu'elle pensait beaucoup à Lorenzo, sans aucun doute beaucoup trop. Même si elle en éprouvait une stupide pointe de jalousie, elle devait se réjouir de le savoir amoureux. Sauf qu'elle n'y arrivait décidément pas, ce qui la surprenait, car elle avait cru être détachée de Lorenzo et capable de souhaiter son bonheur. Elle l'avait même encouragé !

Morose, elle s'assit pour boire son infusion à petites gorgées en essayant de se concentrer sur le programme du lendemain, en particulier l'intervention prévue chez les loups dans la matinée. Une femelle s'était blessée, la plaie s'infectait et devait être nettoyée. Julia avait proposé d'assister Lorenzo, puisqu'elle avait surmonté ses appréhensions concernant cette espèce. En fait, elle se sentait désormais à l'aise partout, dans n'importe quel enclos ou loge, avec chaque animal du parc. Les mois passés ici, en compagnie de Lorenzo et des soigneurs, avaient été pour elle aussi instructifs qu'épanouissants. Soigner la faune sauvage se révélait finalement sa véritable vocation, une découverte trop tardive, hélas. Si les choses s'étaient organisées différemment à la sortie de Maisons-Alfort, si elle avait accompagné Lorenzo dans les réserves africaines, s'ils étaient restés ensemble…

— Assez ! s'exclama-t-elle en tapant du plat de la main sur la table.

Elle ne pouvait pas récrire l'histoire, et elle devait cesser de songer au passé pour ne pas mettre en danger le présent. En ce moment même, Marc arpentait les allées du parc, une torche à la main, inquiet pour ces bêtes qu'il aimait lui aussi et qu'il parvenait souvent à apprivoiser ou à apaiser à force de patience. Sans doute était-il fatigué, peut-être avait-il froid ou sommeil, mais il remplirait sa mission jusqu'au retour de Lorenzo. Marc était un homme sur lequel on pouvait compter.

— Et il sera un très bon père, murmura-t-elle en déposant sa tasse dans le lave-vaisselle.

La cuisine était bien rangée, comme toujours. Peu chaleureuse mais fonctionnelle, sans rien de superflu. Julia n'avait pas accroché de photos et de magnets sur la porte du frigo, n'avait pas disposé un peu partout des bougies parfumées, des gadgets ou des plantes en pot. Elle ne s'était pas davantage approprié cette pièce que les autres. Marc plaisantait en insinuant qu'elle ne faisait que passer chez lui, sans intention de s'y attarder.

Avant de retourner se coucher, elle jeta un coup d'œil par la fenêtre, bien qu'il n'y ait pas grand-chose à voir. La nuit était claire, le ciel étoilé, et, sans couverture nuageuse, la journée du lendemain serait sûrement très froide. D'ici à deux semaines, le parc allait fermer. Il y aurait tout autant de soins à apporter aux animaux, mais, sans visiteurs pour encombrer les allées, le travail serait plus simple. Quant aux chantiers prévus pour la construction des petites maisons de bois ainsi que la réfection de certains bâtiments, ils devaient débuter sous peu. Tel que Julia le connaissait, Lorenzo allait être sous pression, et la plupart des employés du parc avec lui. Chacun réclamait des améliorations pour son secteur, prêt à mettre la main à la pâte s'il le fallait, et tout le monde se sentait concerné. Si, au début, Julia avait pu s'étonner de l'engagement total des employés, elle avait vite réalisé à quel point Lorenzo savait rassembler et fédérer. Le parc Delmonte n'était pas un projet personnel mais une cause commune.

Se glissant de nouveau sous sa couette, elle prit la décision d'avoir une discussion à cœur ouvert avec Marc. Elle n'avait aucune envie de partir, et elle se mit à espérer que lui non plus. Il était très attaché à certains animaux qu'il avait vus naître et grandir, il gérait bien les équipes de soigneurs et Lorenzo avait confiance en lui. Pourquoi s'en aller ? Une fois le bébé né, Julia se mettrait en quête d'une nounou puis reprendrait tout naturellement sa place de vétérinaire adjoint. Après… Eh bien, « après » était trop loin, il serait toujours temps d'y penser !

Sourire aux lèvres, elle sentit que le sommeil venait enfin. Au moins, elle avait réussi à le formuler dans sa tête : elle voulait rester.

5

Les fêtes de fin d'année étaient passées et, malgré un mois de janvier glacial, les différents chantiers entrepris dans le parc n'accusaient aucun retard. Trois petites maisons de bois étaient prêtes, la quatrième ne tarderait pas et, dès la réouverture, des familles pourraient y être accueillies. Le grand nettoyage d'hiver avait eu lieu dans tous les bâtiments, partout on remarquait des améliorations dues aux suggestions et à la bonne volonté des soigneurs, qui profitaient de l'absence du public pour enrichir l'environnement dans lequel évoluaient leurs animaux. Une équipe d'électriciens avait installé des caméras de surveillance aux points stratégiques déterminés par Lorenzo, ainsi que de puissants projecteurs à déclenchement automatique. Quelques chutes de neige avaient empêché certaines espèces fragiles de sortir alors que d'autres, comme les tigres, les loups ou les ours polaires en profitaient pour s'ébattre. Après avoir beaucoup taillé, les jardiniers replantaient sous les ordres du paysagiste qui redessinait les allées. Comme chaque fois, le parc se régénérait et embellissait durant la fermeture.

Occupé à tout surveiller, Lorenzo ne s'était accordé qu'un week-end de congé. Chaque année, il effectuait une sorte de pèlerinage en allant d'abord se recueillir à

Balme, sur la tombe de son grand-père, puis en passant toute une journée dans le parc du Gran Paradiso. Quand il était enfant, Ettore l'emmenait là pour lui vanter les beautés de la nature et lui faire observer les bouquetins, les chamois et les marmottes. Ensemble, ils guettaient le vol d'un épervier, ou parfois d'un aigle royal. Quand Ettore n'avait plus été capable de se déplacer, torturé par ses rhumatismes, il avait continué à parler de leurs escapades avec nostalgie. Aussi, le jour où Lorenzo lui avait annoncé qu'il comptait préparer le concours d'entrée de l'école vétérinaire, Ettore s'était-il montré débordant de fierté.

Lorenzo savait ce qu'il devait à son grand-père, et il honorait sa mémoire en revenant ponctuellement au Gran Paradiso. À défaut d'avoir une image précise de son père, celle d'Ettore était intacte dans son souvenir. Ce vieil homme l'avait aimé, à sa manière pudique, et avait su lui offrir durant des années une figure paternelle et une affection que Claudio ne pouvait hélas plus lui donner, et que Xavier lui refusait.

De retour d'Italie, Lorenzo avait passé plusieurs soirées avec Cécile. Sa vivacité d'esprit, sa gentillesse, son humour lui plaisaient de plus en plus. Il se sentait très attiré, mais pas encore amoureux. Au moins, ils riaient ensemble, flirtaient, et dans ces moments-là Lorenzo ne pensait pas à Julia. Car celle-ci, hélas, le hantait de plus en plus avec son petit ventre qui s'arrondissait sur l'enfant à venir. Il s'avouait, consterné, qu'il aurait adoré être le père de ce bébé, être à la place de Marc. Comment avait-il pu se montrer assez égoïste – et assez stupide – pour négliger Julia au point de la perdre quelques années plus tôt ? Il avait mal joué, fait un pari insensé en imaginant que Julia, telle Pénélope, l'attendrait tranquillement. Il s'était persuadé qu'elle n'avait aucune envie d'approcher des animaux sauvages et qu'elle prenait pour prétexte la maladie de sa mère. Quelle bêtise ! Quand il la voyait aujourd'hui, concernée et efficace, il comprenait quel sacrifice elle avait fait en le laissant partir seul en Afrique. Une erreur de jeunesse qu'il payait très cher. Une autre erreur avait été de la revoir, de lui proposer du travail, de l'embaucher. S'était-il cru guéri d'elle ou assez fort pour la reconquérir ? Les événements lui donnaient tort, Julia aimait Marc, et c'est avec lui qu'elle avait décidé de fonder sa famille. Trop droit pour lâcher la moindre parole ambiguë, pour esquisser le moindre geste tendre, Lorenzo parvenait à conserver un ton de bon camarade avec Julia, et ils travaillaient toujours très bien ensemble. De ce point de vue strictement professionnel, Lorenzo admirait les progrès accomplis par Julia depuis son arrivée au parc. Elle avait appris à écouter attentivement les soigneurs et savait prendre des décisions. Et surtout, surtout, elle était si jolie, si épanouie, si rayonnante, si proche de lui…

— À quoi penses-tu ? lui demanda-t-elle.

Ils se tenaient devant la loge de Tonka, la louve soignée quelques semaines plus tôt. Sa blessure à la patte avait mal cicatrisé, et elle paraissait à la fois nerveuse et abattue.

— Tu étais parti très loin d'ici, non ?

Julia souriait, amicale, mais il ne pouvait pas lui avouer qu'il était justement en train de penser à elle et à tous les regrets qu'elle lui avait laissés. Comprenant qu'il ne répondrait pas, elle se tourna à nouveau vers la louve.

— Je pourrais me perdre des heures dans son regard, ajouta-t-elle.

Les magnifiques yeux jaunes restaient posés sur elle, guettant ses moindres gestes. Comme tous les autres animaux du parc, la louve se méfiait des vétérinaires et n'avait une confiance relative qu'en son soigneur habituel.

— Depuis son opération et les quelques jours suivants où elle a été à l'isolement, elle n'a pas retrouvé sa place dans la meute. Bénédicte, qui l'observe beaucoup, dit qu'elle se fait malmener et mettre à l'écart par les autres femelles.

— Si cette situation se prolonge, il faudra que je l'éloigne d'ici et que je procède à un échange.

— Avec qui ?

— Un parc vient de s'ouvrir en Allemagne et je sais qu'ils cherchent une louve en âge de se reproduire. J'ai vu les photos de leur mâle, il est superbe, et pour l'instant il est seul.

— Saute sur l'occasion, contacte-les !

L'enthousiasme de Julia fit sourire Lorenzo.

— En attendant, il faut soigner cette patte. Dis à Bénédicte de nous rejoindre ici. Elle s'y prend très bien, elle devrait pouvoir appliquer le traitement local et rassurer Tonka. Ne la remettons pas au contact des autres pour le moment.

Julia contempla encore quelques instants la louve, toujours fascinée, puis se détourna à regret tandis que Lorenzo parlait dans son talkie-walkie, donnant ses consignes et le nom de la pommade prescrite à Bénédicte. Celle-ci, comme tous les autres soigneurs, prenait ses congés de manière fractionnée afin qu'il y ait toujours un nombre suffisant d'employés pour s'occuper des animaux, y compris pendant la fermeture annuelle.

— Veux-tu venir dîner à la maison ? proposa Julia en s'installant au volant de la petite voiture électrique dont ils se servaient pour se déplacer d'un bout à l'autre du parc.

N'ayant plus accès au restaurant, qui était en travaux lui aussi, tout le personnel se contentait le plus souvent d'un sandwich à midi, confectionné dans le local de repos où se trouvaient un réfrigérateur, des plaques chauffantes et un micro-ondes. Mais le soir, chacun était heureux de rentrer chez soi pour faire un vrai repas, plus roboratif et mieux équilibré. Julia savait que Lorenzo restait sur place, et elle supposait qu'il devait manger n'importe quoi.

— C'est gentil de me le proposer, mais...

— Mais quoi ? Détends-toi un peu ! Dîner avec des amis te changera les idées, on s'obligera à ne pas parler boulot, promis. Évidemment, si tu as d'autres obligations, avec la jolie Cécile par exemple, je comprendrai.

— Non, je ne la vois pas ce soir.

— Alors, viens.

Elle voyait qu'il hésitait, mal à l'aise, et elle saisit qu'il ne voulait décidément pas s'éloigner, la nuit, s'il n'avait pas au préalable mis en place une surveillance. Il le faisait chaque fois qu'il sortait avec Cécile : jamais le parc ne restait vide de tout responsable.

— Lorenzo, tu ne peux pas vivre comme ça, soupira-t-elle. Tu es tout le temps inquiet, tu ne dois dormir que d'un œil, tu finiras épuisé. Le parc est bien protégé, tes projecteurs se déclenchent au moindre mouvement près des clôtures, tous les bâtiments sont verrouillés.

— Oui...

Il la regardait gentiment et il semblait un peu perdu. Était-ce sa relation avec Cécile qui le rendait soudain vulnérable ? Spontanément, elle le prit par le cou pour lui déposer un baiser sur la joue, mais elle le sentit se raidir. Ne supportait-il pas qu'une autre femme que Cécile l'embrasse ? Elle s'écarta de lui en marmonnant :

— Si tu ne viens pas, tu vas rater mon fameux gratin de macaronis aux petits légumes et tu le regretteras !

— Bien, tu as gagné, d'accord, capitula-t-il.

Elle démarra un peu brutalement et ils furent secoués, ce qui la fit éclater de rire.

— Bébé ne va pas aimer.

— Tu le sens bouger ?

— Pas encore, mais j'ai hâte. N'oublie pas que tu seras son parrain.

— On en reparlera, Julia.

Il avait murmuré ces mots comme s'il ne voulait pas qu'elle les entende.

— On reparlera de quoi ? Tu pourrais refuser ?

— Eh bien... Ce rôle n'est pas insignifiant, on ne doit pas le prendre à la légère, or vous allez partir pour travailler ailleurs, sans doute loin d'ici, et tu sais que moi, je ne bouge jamais.

— Nous n'allons pas forcément partir. Nous n'avons pas trouvé d'offres d'emploi valables. Tous les parcs zoologiques contactés font la même réponse : soit ils ont besoin d'un soigneur mais pas d'un vétérinaire, soit le contraire. Marc a suggéré comme autre option que j'ouvre mon propre cabinet en ville là où il sera embauché, mais je refuse de renoncer à tout ce que j'ai découvert grâce à toi. Le contact avec les animaux sauvages me manquerait trop si je ne voyais plus que des chiens et des chats. Ici, chaque jour est différent, tout est possible, parfois même on invente des traitements face à des pathologies inconnues ! Non, je ne pourrais pas m'en passer, et bien sûr Marc non plus.

Elle avait supposé que Lorenzo serait heureux de ne pas perdre en même temps son chef animalier et son vétérinaire adjoint, mais il se contenta de hocher la tête sans faire de commentaire. Déçue par son peu d'enthousiasme, elle n'ajouta rien.

*

— Ton père ne va pas apprécier, prophétisa Maude.

Cependant elle semblait amusée par l'initiative de Valère, qui venait de déposer sur la table de la cuisine trois cartons de pizzas.

— Vous n'en mangez jamais, ce sera l'occasion !

— Il n'est pas encore remonté de la pharmacie, on risque de dîner tard.

— Dans ce cas, tu n'auras qu'à les faire réchauffer cinq minutes. Elles sont délicieuses, et si tu avais une petite salade pour les accompagner…

Il voyait bien que sa mère avait envie de rire. L'aversion de Xavier pour tout ce qui pouvait évoquer l'Italie était exagérée et agaçait sa famille depuis longtemps. Maude en profita pour lui demander s'il avait des nouvelles de Lorenzo.

— Il supervise ses divers chantiers, et il a aussi une aventure avec une très jolie fille.

— Juste une aventure ? Raconte !

— Elle s'appelle Cécile, elle doit avoir une trentaine d'années, elle est grande, blonde aux cheveux longs, souriante. Elle travaille pour le conseil régional, et elle fond devant Lorenzo. Au début, elle l'a un peu poursuivi, mais je crois que ça y est, il est ferré !

— Si seulement il pouvait oublier Julia, je serais rassurée. Mais quand nous étions là-bas, j'ai remarqué de quelle façon il la regarde. Et comme il passe ses journées avec elle…

— Eh bien, il fera autre chose de ses nuits ! Sois réaliste, maman, Julia attend un enfant et elle va épouser ce type, Marc, qui a d'ailleurs l'air très sympa.

Maude dévisagea Valère, puis elle baissa les yeux vers les cartons de pizzas.

— Je connais Lorenzo, il a le même caractère entier qu'avait Claudio, son père. Il est très obstiné, quand il veut quelque chose il y consacre toutes ses forces, mais par bonheur il est aussi très droit, il ne tentera rien en direction de Julia, même s'il y pense tout le temps et s'il en souffre. Bonne chance à cette Cécile !

— Qui est Cécile ? s'enquit Xavier en entrant dans la cuisine.

Son sourire réjoui prouvait qu'il n'avait dû entendre que les tout derniers mots. Pour avoir la paix, Maude aurait volontiers ignoré la question, mais Valère se fit un malin plaisir d'y répondre.

— La petite copine de Lorenzo.

— Ah, il s'agissait de Laurent, bien sûr ! ricana Xavier.

— Papa, appelle-le donc Lorenzo, sinon on ne sait pas de qui tu parles.

C'était bien la première fois que Valère se permettait cette réflexion. Contrarié, Xavier désigna les cartons.

— Il faut aussi manger ces saloperies italiennes ? Laurent est mon beau-fils depuis bien longtemps, je ne vais pas le débaptiser maintenant.

Un lourd silence s'abattit sur la cuisine.

— En plus, c'est un joli prénom, Laurent..., finit-il par ajouter pour détendre l'atmosphère.

— Et puis nous sommes en France ! renchérit Valère d'un ton ironique.

Père et fils échangèrent un regard circonspect. Par égard pour Maude, aucun des deux ne souhaitait déclencher une dispute maintenant, mais sans doute finirait-elle par avoir lieu.

— Au fait, reprit Valère en s'adressant à sa mère, je lui ai trouvé un sponsor supplémentaire. Je crois qu'il sera content. Les parcs zoologiques sont dans l'air du temps, y mettre un peu d'argent donne bonne conscience... et offre des avantages fiscaux. Tu me laisses faire la vinaigrette ?

— C'est gentil d'aider Laurent, reprit Xavier, mais son parc est tout de même confidentiel et tes sponsors seront forcément déçus. Tu y as pensé ?

— Papa ! explosa Valère. Je n'ai plus douze ans, je sais ce que je fais.

Xavier haussa les épaules, vexé. Que son fils se démène pour Laurent lui semblait stupide, car il demeurait convaincu de l'échec que connaîtrait ce fichu parc au bout du compte.

— L'engouement pour ces endroits prétendument « nature » passera un jour ou l'autre, poursuivit-il. Les gens sont versatiles et les modes éphémères ! Laurent ne propose rien de mieux que ses confrères, en plus il est perdu au fin fond du Jura.

— Mais proche de la Suisse et de l'Italie. Figure-toi qu'il offre désormais un hébergement à ceux qui veulent passer un week-end en famille au milieu des animaux sauvages, or il y a une grosse demande pour ce type de séjour. La rentabilité du parc n'est pas loin, et sa renommée grandit parce que Lorenzo est sans concession. Pas de spectacles chez lui, pas d'ambiance de fête foraine, il ne cherche pas à soutirer le maximum d'argent à ses visiteurs mais seulement à leur offrir des moments authentiques dont ils se souviendront. Tu crois qu'il s'agit d'une mode, moi je penche plutôt pour une prise de conscience propre à notre époque. Les gens en ont marre de bousiller la planète. Si j'admire tant Lorenzo, c'est parce qu'il a choisi de se dévouer à une bonne cause. Il fait quelque chose d'utile, de concret. Alors que moi, je ne cherche qu'à gagner de l'argent pour me payer de belles bagnoles !

— Ne te dévalorise pas. Tu as fait des études qui te permettent d'avoir un salaire confortable, qui s'en plaindrait ? Aimer les voitures, c'est de ton âge.

— Comme d'habitude, tu me trouves toutes les excuses et j'ai tous les droits ! s'emporta Valère. Lorenzo n'en avait aucun, tu t'en souviens, au moins ? Tu ne le félicitais que du bout des lèvres, quand tu ne pouvais vraiment pas faire autrement, sinon tu affichais sans scrupule ton antipathie ou ton mépris. Mais figure-toi que le rôle du chouchou n'est pas confortable du tout et que je me suis souvent senti mal.

— C'est ridicule, se défendit Xavier. Vous n'aviez pas le même âge et je ne vois pas ce que…

— Oh, s'il vous plaît ! intervint fermement Maude. Arrêtez de vous disputer et passons plutôt une bonne soirée tous les trois.

Son regard inquiet les considéra l'un après l'autre. Son mari et son fils, deux hommes qu'elle aimait mais qui ne s'étaient jamais bien compris. Xavier était en extase devant Valère alors que celui-ci, dès son enfance, avait pris Lorenzo pour modèle. Subjugué par son frère aîné, il aurait voulu, lui aussi, avoir un grand-père italien et porter un prénom exotique. Bien entendu, Maude lui avait conseillé de taire ces désirs pour ne pas heurter Xavier. Très tôt, Valère avait donc compris qu'il existait un conflit familial et qu'il valait mieux éviter les affrontements. Mais voilà que, ce soir, l'occasion se présentait enfin de parler franchement pour vider cet abcès trop longtemps ignoré. Sans tenir compte de la demande de sa mère, il poursuivit :

— Nous n'en avons pas souvent parlé, hein ? Sujet tabou ! Pourtant, ton attitude avec Lorenzo me faisait de la peine. Je te trouvais mesquin, injuste, tu me décevais et je détestais ça. Mon père ne pouvait pas être ce genre d'homme.

Xavier devint tout pâle et resta muet quelques instants avant de parvenir à se reprendre.

— Tu aurais dû me le dire.

— Ça ne t'aurait pas fait aimer Lorenzo.

— Je t'aurais expliqué que je ne pouvais pas avoir les mêmes sentiments envers mon fils légitime et mon beau-fils. Pour ta mère, j'ai essayé de m'attacher à Laurent, mais il ne m'a jamais facilité la tâche, même à trois ans !

— Tu avais commencé par lui confisquer son prénom, une curieuse manière de l'accueillir. Mais je n'étais pas né et je ne sais pas ce qui s'est passé entre vous au début. En revanche, dans mes premiers souvenirs, tu me souris et tu l'ignores, tu me félicites et tu le grondes systématiquement. C'était choquant.

— Bon sang, Valère ! Tu t'es imaginé…

— Pas « imaginé », non, je l'ai vu chaque jour. Mes notes au collège, même en éducation physique, te réjouissaient davantage que son succès au concours d'entrée à Maisons-Alfort.

— Ce sont des détails. N'oublie pas que je l'ai élevé.

— Je connais par cœur ton discours, papa. Tu te donnes bonne conscience. En réalité, tu aurais pu adopter Lorenzo pour le mettre sur un pied d'égalité avec nous.

— Il n'a pas voulu.

Alors que Xavier et Valère avaient un peu oublié la présence de Maude, celle-ci intervint brusquement, s'adressant à son mari d'un ton sec :

— Quand tu le lui as proposé, il avait déjà treize ans et il se sentait exclu depuis longtemps !

— Comment aurais-je pu lui faire comprendre ce qu'était une adoption à quatre ans ? Oui, j'ai attendu qu'il soit en âge de m'écouter, mais alors, souviens-toi, il m'a ri au nez, trop attaché à rester l'Italien marginal et mystérieux dont il avait fait son personnage ! Il cultivait la mémoire de son père, il ne jurait que par son grand-père et n'avait aucune considération pour moi.

— Considération ? répéta Valère en levant les yeux au ciel.

— Respect, si tu préfères ! explosa Xavier, qui en avait assez de se justifier. Et dis-moi, pourquoi nous sommes en train de nous engueuler en remuant de vieilles histoires ?

— Parce que tu es arrivé de mauvaise humeur, mécontent que nous parlions de Lorenzo, et capable d'appeler de simples pizzas des « saloperies italiennes ». Tout le monde en mange mais tu t'obliges à faire la grimace et tu t'en prives depuis trente ans. C'est pathétique.

Dans le silence qui s'abattit enfin sur eux, Maude murmura :

— Je vais les réchauffer.

Levant les yeux vers Xavier, elle esquissa un sourire.

— Voudrais-tu autre chose ? J'ai du jambon, et Valère va préparer une salade.

— Oublie le jambon, je tiens à goûter ces pizzas pour prouver ma bonne volonté à notre fils.

— Comme si tu n'en avais jamais mangé, papa ! Il y a quelques années, je t'ai pourtant aperçu à travers la vitrine d'une pizzeria devant laquelle je passais tout à fait par hasard. Tu étais avec les employés de ta pharmacie, vous deviez fêter quelque chose…

— Je ne m'en souviens pas, maugréa Xavier.

— Moi, oui.

Une nouvelle fois, ils se défièrent du regard, mais Maude s'interposa encore.

— Bon, si vous avez fini, soyez gentils de mettre le couvert. On va pouvoir dîner. C'est un bonheur de t'avoir avec nous, Valère. Tu devrais venir plus souvent !

Elle ne s'était quasiment pas mêlée à leur discussion, hormis par une seule petite phrase qui lui avait échappé. Même si elle en voulait à son mari d'avoir rejeté Lorenzo, elle préférait tenir Valère en dehors de ce contentieux.

Elle glissa les pizzas dans le four tout en se demandant quel était ce sponsor dont il avait parlé avant que la conversation ne dégénère. Il était doué pour mettre en contact les bonnes personnes et il cherchait vraiment à aider Lorenzo, sans doute pour compenser tout ce qu'il venait de reprocher à son père. Elle lui jeta un coup d'œil attendri tandis qu'il préparait sa vinaigrette avec application. Pourquoi était-il célibataire alors qu'il était si séduisant et si charmant ? Elle se promit de lui poser la question, un jour où ils seraient seuls, mais elle savait qu'il ne lui répondrait pas. Sous ses airs désinvoltes, c'était un homme très secret.

*

Cécile se souleva sur un coude pour observer Lorenzo. Dans son sommeil, ses traits apaisés le faisaient paraître plus jeune. Ce soir, pour la première fois, ils avaient fait l'amour, après des semaines de flirt. Elle avait fini par douter d'elle-même, ne comprenant pas pourquoi il se contentait de la raccompagner sans chercher à monter chez elle. Depuis deux ans, elle louait un charmant appartement meublé à Lons-le-Saunier, et à deux reprises elle lui avait offert le « dernier verre », qu'il avait refusé sous prétexte qu'il devait reprendre le volant pour rentrer au parc. Il l'invitait au restaurant, lui faisait ouvertement du charme, la prenait par la main dans la rue et l'embrassait en l'enlaçant devant sa porte cochère. Mais il n'allait pas plus loin, ne franchissait pas le dernier pas, comme si quelque chose le retenait. Elle s'était posé des questions, pas toutes flatteuses pour sa virilité ; néanmoins elle avait patienté. Et enfin il lui avait proposé de venir dîner chez lui et de rester dormir, dans cette petite maison qu'il ne semblait pas vraiment habiter. Ils avaient bu une bouteille de champagne devant un bon feu de cheminée et, oubliant de manger, s'étaient retrouvés dans la chambre.

Cécile avait eu une agréable surprise en découvrant que Lorenzo était un très bon amant, sensuel et attentif, qui savait prendre son temps. À minuit, ils avaient improvisé un pique-nique avant de refaire l'amour. Juste après, Lorenzo s'était endormi, apparemment épuisé. Connaissant le programme de ses journées, Cécile ne fut pas étonnée de le voir sombrer ; en revanche, elle n'avait pas sommeil. Le regarder était réjouissant, émouvant. En prévision de ce dîner chez lui, il s'était rasé de près alors qu'il affichait souvent une barbe de deux ou trois jours. Ses cheveux bruns, un peu trop longs, étaient soyeux – elle avait savouré leur douceur en y passant les mains tout à l'heure. Avec sa peau mate, une belle carrure et pas un atome de graisse, il avait vraiment tout pour plaire, et qu'aucune femme ne partage son existence était un peu étrange. Était-il trop obnubilé par son parc et par ses animaux pour avoir une vie sentimentale ? Ou incapable de s'intéresser à une femme au-delà d'une soirée ? Si c'était le cas, Cécile ne demandait pas mieux que de relever le défi !

Toujours appuyée sur un coude, elle ne songeait pas à éteindre la lumière et continuait de détailler le profil de Lorenzo. Quelle allait être son attitude demain matin, au réveil ? Serait-il pressé de se débarrasser d'elle ? Assez galant pour lui offrir au moins un café ? Distant ou familier, fuyant ou proposant un autre rendez-vous ? Elle ne se contenterait pas d'un vague « On s'appelle ». Elle avait fait preuve de patience en attendant cette soirée à deux toujours remise. À présent qu'elle était dans son lit, à elle de se débrouiller pour y rester.

Avec un petit soupir de regret, elle éteignit enfin la lampe de chevet. Lorenzo était exactement le genre d'homme dont elle rêvait depuis longtemps, elle l'avait deviné la première fois qu'elle l'avait vu lors de cette réunion à Genève. Elle allait devoir se montrer habile pour qu'il s'attache à elle, mais elle ne doutait pas d'y parvenir. Après tout, personne ne lui avait résisté jusque-là. Depuis ses seize ans, parce qu'elle était une jolie blonde, les garçons la draguaient. À vingt ans, après quelques expériences éphémères, elle avait connu une belle histoire sentimentale avec un médecin qui était fou d'elle et voulait absolument l'épouser. Mais elle avait choisi de poursuivre ses études, se trouvant trop jeune pour une vie de couple et souhaitant préserver son indépendance. Durant quelques années, elle avait vécu comme elle l'entendait, s'était laissé aimer sans jamais permettre à ses coups de cœur de prendre le pas sur sa carrière. Aujourd'hui, elle souhaitait trouver un homme avec lequel elle aurait envie de partager sa vie. La trentaine l'épanouissait, tout lui semblait possible, et à ses yeux Lorenzo représentait une sorte d'idéal. Il avait été moins facile de séduire cet homme-là que tous ceux qui l'avaient précédé, et le garder serait sans doute compliqué, mais peu importait, elle était assez volontaire pour franchir tous les obstacles. D'ailleurs, si la seule rivale à laquelle elle serait confrontée était le parc, elle s'en accommoderait parfaitement.

Durant quelques instants, elle écouta la respiration régulière de Lorenzo et elle sentit le sommeil la gagner à son tour.

*

Avec une longue tige de bambou passée à travers les barreaux, Julia titilla l'oreille de la panthère noire. Constatant l'absence de réaction, elle testa les vibrisses sans plus de résultat. L'animal était donc bien endormi, il n'y avait pas de danger à entrer dans sa loge. Même si elle y était désormais habituée, Julia s'étonnait encore de pouvoir manipuler des fauves, caresser leur fourrure et les soigner. Malika était une bête magnifique, la regarder arpenter son territoire de sa démarche chaloupée réjouissait tous les visiteurs, et impossible d'oublier son regard vert émeraude une fois qu'on l'avait croisé.

— On va la déplacer, annonça-t-elle. Je voudrais voir l'autre flanc, il faut la retourner.

Dans l'effort qu'ils firent tous les trois pour bouger les soixante-dix kilos de la panthère, Julia éprouva une brusque sensation de malaise. Elle s'obligea à respirer lentement et profondément, ce qui ne fit qu'augmenter son vertige. Durant quelques instants, elle lutta sans comprendre ce qui lui arrivait.

— Aidez-moi à sortir et bipez Lorenzo, parvint-elle à articuler.

L'un des soigneurs, surpris, se tourna vers elle.

— Qu'est-ce que tu as dit ?

Elle croyait pourtant avoir parlé assez fort, mais en réalité sa propre voix lui parut faible quand elle répéta :

— Sortons d'ici tout de suite. Je ne maîtrise plus la situation, je… Appelle Lorenzo !

Constatant qu'elle n'arrivait pas à se lever, les soigneurs réagirent enfin. Ils la prirent chacun par un bras, la soulevèrent et l'aidèrent à quitter la loge. L'un d'eux referma soigneusement la grille tandis que l'autre faisait asseoir Julia à même le ciment du couloir.

— Tu es toute pâle. Tu vas t'évanouir ?

— La panthère…, réussit-elle à murmurer.

— Elle dort, elle va bien. Lorenzo arrive. Toi, ne bouge pas.

Elle n'entendit pas les derniers mots, perdant connaissance. Quand Lorenzo surgit, quelques minutes plus tard, au premier regard il comprit ce qui venait de se produire et il joignit les secours pour réclamer une ambulance de toute urgence.

*

En émergeant de l'heureuse inconscience où elle avait sombré, Julia eut la douleur de découvrir qu'une fausse couche avait emporté le fœtus qui devait devenir son bébé. Au chagrin de la perte se mêlait, paradoxalement, un vague soulagement inattendu, comme si ce drame en empêchait un autre, peut-être pire.

Elle avait perdu beaucoup de sang et, sous anesthésie, avait subi un curetage. Le médecin qui était venu lui parler à son réveil souhaitait la garder un ou deux jours en observation, et surtout la maintenir en position allongée. Il était resté un moment à son chevet, intrigué par cette jeune vétérinaire qui disait que sa fausse couche avait commencé sans aucun signe avant-coureur, alors qu'elle se trouvait au chevet d'une panthère noire ! Après avoir obtenu l'assurance qu'elle ne se sentait pas trop déprimée et n'avait pas besoin de s'entretenir avec un psychologue, il lui tapota gentiment la main en l'informant qu'il cédait sa place aux deux hommes qui attendaient dans le couloir.

— Ils n'ont pas l'air d'accord entre eux, mais ils tiennent manifestement à vous !

— Ils sont là tous les deux ? s'étonna-t-elle.

Que Marc soit présent était légitime, mais que Lorenzo soit venu aussi…

— Un mari et un frère ? Un mari et un amant ? plaisanta le médecin.

— En tout cas, deux visiteurs, j'ai de la chance, répliqua-t-elle sèchement.

Il haussa les épaules et sortit en laissant la porte entrouverte. Le premier à se précipiter dans la chambre fut Marc. Son visage défait et ses cheveux hirsutes soulignaient sa détresse.

— Je suis si triste que nous ayons perdu le bébé…, bredouilla-t-il. Mais aussi, tu t'es beaucoup trop fatiguée, tu n'as pas voulu rester tranquille, tu…

— Comment te sens-tu ? l'interrompit Lorenzo en s'adressant à Julia.

— Un peu sonnée, mais ça va, affirma-t-elle avec un sourire peu convaincant. Ils veulent me garder vingt-quatre heures.

— Ils ont raison et tu le sais.

Leur échange parut exaspérer Marc, qui se tourna vers Lorenzo pour lui lancer :

— Tu ne l'as pas ménagée ! Tu savais bien qu'elle avait du mal, avec certains fauves, que ça l'angoissait, et tu l'as tout de même chargée de s'en occuper.

— Non, se défendit Lorenzo sans élever la voix. Julia décide seule de ce qu'elle veut faire ou pas. Nous nous répartissons les tâches en fonction de ses préférences.

— C'est faux ! Elle a mis un point d'honneur à te prouver que…

— J'ai le droit de parler ? intervint Julia.

— Tu vas défendre Lorenzo, comme d'habitude ! Il peut te demander n'importe quoi, tu lui donneras toujours raison.

— Mais enfin, mon chéri…

— Tu es crevée et ça se voit, Julia ! Tu devais bien le sentir, non ? Je t'avais dit de te reposer, et bien sûr tu ne m'as pas écouté. Ce parc est-il vraiment un endroit pour une femme enceinte ? Ces animaux sont gros, puissants, dangereux ! Pour eux, on court dans tous les sens à longueur de journée, on soulève des trucs trop lourds, on pousse des brouettes, on remplit des gamelles, on manie des fourches ! Quand on est en pleine possession de ses moyens, c'est faisable, mais quand on attend un bébé, c'est complètement stupide !

— Calme-toi, veux-tu ? Je n'ai manié ni fourche ni brouette, juste des seringues. Oh, et puis pourquoi épiloguer ? La plupart du temps, si une fausse couche se produit, c'est qu'il y a une bonne raison à ça. Quand le corps rejette l'embryon, il sait ce qu'il fait.

Marc secoua la tête, insensible aux arguments de Julia. Sa déception et son chagrin se muaient peu à peu en colère. Rendre la jeune femme responsable du drame en l'accusant d'inconséquence le soulageait. Sans doute avait-il beaucoup espéré de cette naissance et du mariage qui devait suivre. Un engagement définitif rassurant, car peut-être devinait-il qu'elle était moins amoureuse que lui.

Fermant les yeux, Julia poussa un profond soupir. Elle se sentait affaiblie physiquement et mal à l'aise moralement. Elle aurait dû pleurer davantage, songer à ce petit être qui n'avait pas vécu et qui emportait avec lui tous ses projets. Pour ça, il aurait fallu que Marc la prenne dans ses bras et la console au lieu de l'accabler. Non, elle n'avait pas présumé de ses forces ni fait trop d'efforts. Lorenzo ne lui avait d'ailleurs rien demandé de particulier, elle avait agi à sa guise, ainsi qu'il le rappelait. Elle s'était abstenue de boire de l'alcool pendant des semaines, elle ne fumait pas, contrôlait son alimentation et se rendait à toutes les visites médicales. Où se situait donc sa responsabilité, celle que Marc tentait de lui faire endosser ?

— Que disent les médecins ? finit-il par demander. Tu pourras bientôt retomber enceinte ? En tout cas, tu seras mince et superbe pour notre mariage !

Il avait essayé de prononcer ces derniers mots d'un ton léger, néanmoins Julia y décela une pointe d'amertume.

Elle chercha le regard de Lorenzo, qui se tenait un peu en retrait, près de la porte. Quand leurs yeux se croisèrent, elle perçut toute la tendresse qu'il ne pouvait pas exprimer à voix haute.

— As-tu besoin de quelque chose ? se contenta-t-il de demander.

— Non, je crois que je vais dormir.

Elle n'était pas certaine d'y parvenir malgré sa lassitude, mais elle voulait être seule pour réfléchir à ce qu'elle venait de vivre et à son avenir immédiat.

— Je reste encore un peu, annonça Marc.

Il adressa un petit sourire à Julia avant de se tourner vers Lorenzo pour lui lancer :

— Tu peux nous laisser ?

Marquant ainsi sa légitimité au chevet de la jeune femme, il excluait Lorenzo de leur couple.

— Bien sûr. Je t'attendrai sur le parking. Prends soin de toi, Julia.

Il sortit aussitôt et elle se sentit déçue, privée d'un soutien dont elle allait peut-être avoir besoin.

— Nous sommes venus ensemble, expliqua Marc, et nous nous sommes engueulés dans la voiture. Ici aussi, d'ailleurs…

Attirant une chaise près du lit, il s'assit et prit la main de Julia.

— En tout cas, je lui ai dit ce que j'avais sur le cœur.

— Tu es injuste. Tu restes persuadé que Lorenzo m'en demande trop, même si on t'explique le contraire.

— Enfin, ma chérie, je vois bien tout ce que tu accomplis, du matin au soir !

— Volontairement.

— Vraiment ? Alors, tu t'es montrée inconséquente, et voilà le résultat.

— Quoi ? s'écria-t-elle en se redressant dans son lit.

Une vague de colère la soulevait soudain, qu'elle ne fit rien pour endiguer.

— Arrête de me mettre la tête sous l'eau, je suis assez malheureuse comme ça !

— Mais je ne...

— Si ! Soit c'est moi, par sottise, soit c'est Lorenzo, qui d'après toi est tyrannique, bref, il te faut absolument un coupable ! En réalité, mon organisme a décidé. Pour mon bien ou pour celui du fœtus, qu'il n'a pas jugé viable et qu'il a expulsé selon les lois de la nature. Ne te mets pas des œillères, accepte, même si c'est dur. Tu attendais beaucoup de cette naissance, et moi aussi. Nous sommes déçus, peinés, frustrés, d'accord, mais on ne va pas s'accuser mutuellement d'une prétendue faute. Et laisse donc Lorenzo en dehors de cette histoire.

Elle n'aurait pas dû insister, car elle le vit se braquer.

— Il est omniprésent dans nos vies ! s'emporta-t-il. C'est notre employeur mais c'est aussi ton ex, censément devenu ton *meilleur ami*, que tu consultes à tout bout de champ et avec lequel tu aimes bien échanger des propos scientifiques que nous ne sommes pas aptes à comprendre, nous les simples soigneurs.

Voilà, il l'avouait enfin, il était jaloux de ce statut de vétérinaire que Julia partageait avec Lorenzo.

— Et il n'y a pas que ça, ajouta-t-il. Je t'ai proposé de changer d'horizon, de changer de vie, mais tu traînes les pieds. Tu n'as pas vraiment envie d'aller ailleurs, en fait tu n'as pas envie de construire autre chose avec moi. Je me trompe ?

Elle ne pouvait pas nier l'évidence. Tant qu'elle avait porté leur futur bébé, elle s'était caché la vérité à elle-même, avait continué à se croire amoureuse de Marc. Or les sentiments du début avaient mal résisté à la vie commune et s'étaient peu à peu dilués dans le quotidien. À moins que, en effet, passer ses journées avec Lorenzo n'ait ranimé trop de bons souvenirs, des souvenirs très puissants. En prendre conscience lui fit monter les larmes aux yeux. Comment avait-elle pu s'aveugler à ce point ?

— Oh, ma chérie, pardon, je suis une brute…

Consterné de la voir pleurer, il serra davantage sa main et se pencha pour l'embrasser au coin des lèvres.

— Ne t'en fais pas, je t'aime comme un fou, on va surmonter cette épreuve, préparer notre mariage et mettre un autre enfant en route ! Qu'en penses-tu ? Je ne t'ennuierai plus avec mes réflexions stupides, promis.

Sa sincérité ne faisait aucun doute, ce qui aggravait le malaise de Julia. Voulait-elle encore épouser cet homme et passer le reste de son existence avec lui loin du parc Delmonte ? La réponse était non, mais comment le lui dire ? De toute façon, le moment était trop mal choisi, elle ne pouvait que se taire. Elle ferma les yeux, espérant qu'ainsi il se déciderait à partir.

— Je te laisse te reposer, finit-il par chuchoter au bout d'un long moment.

Il se leva et recula sa chaise sans bruit. Rester ne servait à rien, Julia semblait endormie, apaisée. Elle récupérerait vite si elle acceptait de se reposer. Il se promit de revenir le lendemain avec des vêtements propres et une trousse de toilette. Il aurait dû y penser plus tôt, mais il avait sauté dans la voiture de Lorenzo et ils s'étaient précipités à la suite de l'ambulance. Pendant le trajet, Lorenzo avait bien tenté de le rassurer, soulignant le caractère bénin de l'hémorragie, la fréquence et la banalité des fausses couches, la solide santé de Julia, mais Marc pleurait déjà son enfant perdu et angoissait pour sa compagne. Il tenait à elle par-dessus tout, même s'il était parfois très maladroit. Pourquoi lui avait-il fait des reproches, dévoilant à cette occasion une forme de jalousie dont il avait honte ?

Durant plusieurs années, il s'était parfaitement entendu avec Lorenzo ; il n'y avait jamais eu d'ombre entre eux jusqu'à ce qu'il tombe amoureux de Julia. Savoir qu'elle avait vécu dans le passé ce qu'elle appelait « une grande histoire » avec Lorenzo avait mis Marc dans la position d'un rival. Il s'était demandé si elle faisait des comparaisons entre eux, et si elle n'avait pas l'impression de déchoir en se retrouvant avec un simple soigneur, un modeste employé. Car le salaire de Marc n'était pas formidable, elle gagnait mieux sa vie que lui. Et elle avait beau affirmer qu'elle s'en moquait, il ne pouvait pas s'empêcher d'en douter.

En sortant du centre hospitalier, il rejoignit Lorenzo, qui l'attendait près de sa voiture.

— Elle s'est endormie, annonça-t-il.

— Tant mieux, elle doit absolument se reposer.

— Crois-tu que les médecins vont lui donner un arrêt de travail ?

— Peut-être deux ou trois jours, mais tu sais bien que ça ne posera aucun problème.

Lorenzo était évidemment prêt à accorder n'importe quel traitement de faveur à Julia, et Marc aurait dû s'en réjouir au lieu de se sentir à nouveau contrarié.

— Il faut aussi qu'elle retrouve un bon moral, ajouta-t-il. Quitte à s'offrir une semaine de vacances loin d'ici ! Ce serait possible pour toi ?

— Tout est toujours possible, et nul n'est irremplaçable, plaisanta Lorenzo.

Mais un effectif amputé de deux personnes, surtout en cette période de fermeture où plusieurs employés avaient pris leurs congés, allait rendre la situation difficile à gérer.

— Si vous décidez de le faire, allez-y sans tarder, ce serait pire au moment de la réouverture. Quand les visiteurs envahissent le parc, j'ai besoin que tu supervises toutes les équipes.

Marc n'était pas certain d'obtenir l'accord de Julia ; pourtant, un petit voyage en tête à tête leur serait bénéfique.

— Et la surveillance nocturne ? s'enquit-il néanmoins pour montrer qu'il restait solidaire.

— Les caméras, les projecteurs et les alarmes sont fiables.

— Tu dis ça mais tu n'es pas vraiment tranquille.

— Je ne le serai jamais. Même si j'avais les moyens d'engager un vigile, il ne pourrait pas être partout. Le parc est trop étendu pour être entièrement sécurisé, à moins qu'on le transforme en camp retranché !

Ils restèrent un moment silencieux, avant que Marc reprenne :

— Je sais que Julia t'avait demandé d'être le parrain de notre…

L'émotion lui serrant la gorge, il s'interrompit.

— Oui, finit par dire Lorenzo. C'était très gentil de votre part, une marque de confiance très flatteuse pour moi, bien que je ne sois sans doute pas la bonne personne.

— Pourquoi ?

— Trop peu disponible.

— Peut-être, mais tu es aussi le meilleur ami de Julia. En fait, elle n'a pas beaucoup d'amis, et ils sont tous en région parisienne. Je pense qu'elle te demandera aussi d'être son témoin pour le mariage.

Il guettait la réaction de Lorenzo, qui n'eut qu'un petit hochement de tête.

— On attendait la naissance, poursuivit-il, mais maintenant on va pouvoir organiser rapidement la cérémonie.

— Et vos projets de départ ?

— Je serai sûrement obligé de bousculer un peu Julia, parce qu'elle se plaît bien chez toi.

— La bousculer ? répéta Lorenzo, ironique.

Marc se tourna vers lui, hésita puis prit une profonde inspiration.

— Bon, écoute, ce que j'essaie de te dire est que je me sens un peu... Enfin, je vous trouve trop proches, tous les deux, trop complices, trop tout !

Cette fois, la réaction de Lorenzo fut immédiate. Il se rangea brutalement sur le bas-côté, coupa le contact et déboucla sa ceinture de sécurité pour faire face à Marc, qu'il dévisagea.

— Tu n'es pas sérieux, j'espère ?

— Je le suis.

— Et jaloux ? Eh bien, tu es ridicule !

— Crois-tu ? Difficile de ne pas voir les regards et les sourires complices que vous échangez.

— Je rêve ! Bien sûr que nous sommes complices, je te rappelle que nous avons fait nos études ensemble, que...

— Pas que vos études, n'est-ce pas ?

— C'est de l'histoire ancienne, tu le sais très bien. Nous éprouvons toujours de l'affection l'un pour l'autre, rien de plus.

— J'ai du mal à l'admettre.

— Tant pis pour toi ! Mais n'embête pas Julia avec tes soupçons grotesques, laisse-la tranquille, elle n'a pas besoin de ça en ce moment !

Il avait parlé avec une telle véhémence que Marc le toisa, furieux.

— Pour prendre sa défense, tu perds ton calme, toi toujours si maître de toi, si posé ! Dès qu'il est question de Julia, tu montes au créneau. Comment dois-je l'interpréter, hein ?

— Comme tu veux, tu m'emmerdes, lâcha Lorenzo entre ses dents. Maintenant, fous-moi la paix, j'ai encore pas mal de trucs à faire, car je te rappelle qu'on a tout laissé en plan au parc. Et ce soir, j'ai rendez-vous avec Cécile.

Il redémarra sèchement, faisant gicler les graviers du bas-côté. Marc avait un peu oublié la petite copine de Lorenzo. Se pouvait-il qu'il en soit amoureux et que pour lui Julia appartienne au passé, ainsi qu'il se plaisait à le répéter ? Non, impossible de se tromper sur l'intensité de certains regards. Par exemple tout à l'heure, dans cette chambre du centre hospitalier de Saint-Claude, Marc avait surpris l'expression du visage de Lorenzo, et il ne se faisait plus aucune illusion : il s'agissait bien d'amour, pas d'amitié.

— Tu l'aimes encore, soupira-t-il à mi-voix.

— Et alors ? s'emporta Lorenzo. Si c'était le cas, ça ne concernerait que moi ! C'est avec toi qu'elle vit, avec toi qu'elle a des projets et qu'elle veut fonder une famille, non ? Jamais je ne m'autoriserais la moindre équivoque, la plus petite ambiguïté. Julia est pour moi une bonne amie, un bon vétérinaire, il n'y a rien d'autre à dire. Je suis assez clair là-dessus ?

Marc émit un grognement qui pouvait passer pour un acquiescement. Bien sûr, Lorenzo n'avait pas essayé de reconquérir Julia. Depuis qu'elle vivait chez Marc, et surtout depuis qu'elle avait annoncé sa grossesse, elle était devenue intouchable pour quelqu'un d'aussi intègre que Lorenzo. Leurs rapports se limitaient à un échange professionnel, néanmoins il existait un lien évident entre eux, qui allait sans doute au-delà de l'affection ou de la complicité. Un lien que Marc ne pouvait ni rompre ni ignorer, et savoir Julia aussi attachée à un autre homme l'exaspérait.

La route du retour s'effectua en silence, chacun méditant les propos échangés. Arrivés au parc, ils allèrent voir ensemble la panthère noire, qui s'était réveillée sans problème mais n'était toujours pas soignée. Lorenzo, ne souhaitant pas pratiquer des anesthésies trop rapprochées sur un fauve fragile, reporta son intervention à la semaine suivante. Ensuite, il gagna son bureau, où il travailla jusqu'à l'heure de son rendez-vous avec Cécile. Il se sentait d'humeur morose mais n'avait pas voulu se décommander. La jeune femme n'était pour rien dans la tristesse qu'il éprouvait chaque fois que ses pensées le ramenaient vers Julia, pâle et défaite sur son lit d'hôpital. Cécile était la gaieté même, elle semblait n'avoir aucun souci et elle se démenait pour que Lorenzo obtienne toutes les subventions possibles pour son parc. Les animaux ne la passionnaient sans doute pas, mais elle voulait sincèrement l'aider, estimant qu'il consacrait sa vie à une belle cause. Malheureusement, son enthousiasme mettait Lorenzo en porte-à-faux. Il ne voulait surtout pas profiter d'elle, de leur relation, ni que quiconque puisse le croire.

Lorsqu'elle le rejoignit, un peu avant vingt heures, elle annonça qu'elle avait apporté le dîner : de la charcuterie, du fromage et du pain frais, une bouteille de vin du Jura. Elle savait que Lorenzo n'aimait pas s'éloigner du parc et elle lui proposa de pique-niquer là plutôt que de se déplacer jusqu'à sa maison. Il accepta volontiers son offre ; toutefois, la chambre et la salle de bains qu'il avait aménagées au-dessus des locaux administratifs étaient en principe son refuge, un lieu très personnel qu'il n'avait pas envie de partager. Mais comment le lui dire, et pourquoi doucher son enthousiasme ? À chacune de leurs rencontres, elle se montrait enjouée, câline, heureuse. Et lorsqu'ils se retrouvaient au lit, elle était aussi très sensuelle et savait s'abandonner. Pourquoi continuait-il de penser à Julia alors que Cécile faisait tout pour le combler ?

Ils s'installèrent sur le canapé du coin salon, qui servait en principe à recevoir des investisseurs, des confrères ou des journalistes. Un peu à l'écart, la grande table d'architecte était entièrement couverte par les plans des petites maisons de bois.

— Les constructions sont toutes achevées ? demanda Cécile.

— Il ne reste plus que les vitres des baies à poser, et en principe ce sera fait dans la semaine.

— Tu as déjà des réservations ?

— Plein ! La communication a porté ses fruits, presque tous les week-ends de printemps sont complets. Mon frère Valère m'a bien aidé avec ses conseils et ses suggestions. Reste à donner envie aux gens de venir quand il fait froid. Le parc ouvre le 15 février, et il y aura peut-être encore de la neige – c'est magique quand un loup ou un ours s'y aventure ! Et nos maisons sont équipées de poêles à bois qui les rendent très confortables.

— L'hébergement est vraiment une excellente idée.

— Elle n'est pas de moi, certains parcs y avaient déjà pensé.

— Seulement ceux qui ont la place nécessaire, je suppose ?

— Oui, il faut beaucoup de terrain pour établir un circuit sécurisé. Mais pas question que ce soit au détriment des enclos, nos animaux doivent conserver le maximum d'espace. Mon architecte a été parfait, il s'est servi d'un endroit que nous utilisions pour stocker du fourrage mais qui était de toute manière trop éloigné. Il a rationalisé et réorganisé tout ça de façon très habile. Comme quoi on peut toujours faire mieux !

— Quand les vitres seront posées et qu'il y aura du bois dans les poêles, on ne pourrait pas y passer une nuit, toi et moi ?

— Eh bien… Pourquoi pas ?

Il n'était pas très enthousiaste à cette idée, car il avait plutôt envisagé d'inaugurer les maisons en y organisant une petite fête avec certains des membres de son équipe, dont Marc et Julia, bien entendu. Une soirée préouverture qui permettrait de tester les installations et de vérifier que les animaux n'avaient pas peur de s'aventurer dans les parages. La présence de Cécile à ses côtés officialiserait leur liaison, ce qu'il ne souhaitait pas. Pas encore.

— Si ça t'ennuie, je comprendrai, dit-elle doucement.

Elle faisait vraiment tout pour que leurs rapports soient sereins, devinant sans doute qu'elle ne devait pas mettre Lorenzo au pied du mur.

— On verra, finit-il par répondre. Il faut aussi déballer les lits que nous avons reçus, et tout le linge, bref, il y a une mise en place importante à prévoir, des détails à peaufiner. Je pensais expérimenter une première nuit en compagnie de mon chef animalier ou d'un volontaire, dans des sacs de couchage. Rien de romantique là-dedans !

— Ah…

Elle s'efforça de sourire, mais elle avait reçu le message : il ne s'encombrerait pas d'elle pour tester ses maisons. Il ne l'incluait pas dans ses projets, n'avait pas besoin d'elle. Pourtant, elle ne s'avouerait pas vaincue avant d'avoir tout essayé avec lui. Et elle finirait par trouver la faille ! Bien s'entendre au lit était déjà un atout, mais ça ne suffisait pas : elle voulait être aimée, pas seulement désirée.

— Ton fromage est un délice, fit-il remarquer. Merci d'avoir apporté toutes ces bonnes choses !

— Je sais que tu ne veux pas t'éloigner.

— C'est gentil d'en tenir compte.

— En échange, j'apprécierais que tu m'emmènes un soir au Colvert. Les gens commencent à parler du restaurant de ta sœur, et je suis dévorée de curiosité !

— Anouk est une grande cuisinière, elle va vite se faire un nom en tant que chef. Elle adore son métier, elle a une volonté de fer et elle est prête à prendre tous les risques.

— Tu sembles beaucoup l'aimer.

— J'aime mes deux sœurs et mon frère, mais Anouk est proche de moi, nous avons des points communs.

— Par exemple ?

— L'envie de réussir ce qu'on entreprend, de mener à bien un projet en s'y consacrant entièrement.

— Je vois. Elle est aussi passionnée que toi. Et l'autre ?

— Laetitia est pharmacienne, comme son père.

— Ton beau-père ?

— Oui.

— Quelqu'un que tu n'as pas l'air d'apprécier.

— Pas vraiment.

Il se leva brusquement, et Cécile crut qu'il voulait échapper aux confidences, mais il se précipita vers l'une des fenêtres donnant sur le parc.

— Des projecteurs se sont allumés là-bas !

En quelques gestes rapides, il enfila des bottes de caoutchouc, une parka, s'empara d'une torche et de son téléphone.

— Reste ici ! intima-t-il à Cécile, qui s'était levée à son tour, très inquiète.

— Non, je viens avec toi ! Tu n'as pas d'arme ?

Il était déjà à la porte, mais il se tourna une seconde vers elle.

— Ne bouge pas d'ici, insista-t-il. Je ne plaisante pas. C'est peut-être seulement un oiseau de nuit qui a volé devant un détecteur, mais peut-être aussi des cinglés qui veulent s'en prendre aux animaux pour un trafic quelconque, et ceux-là n'ont pas de limite ! Alors reste là, et si tu entends du grabuge, appelle la gendarmerie.

— Lorenzo !

Sans l'écouter, il s'éclipsa, la laissant désemparée. Devait-elle le suivre malgré tout ? La perspective de se retrouver face à des individus potentiellement dangereux l'effrayait, mais rester seule et ne pas savoir ce qui se passait dehors n'était guère plus tentant. Après avoir hésité, elle mit son manteau, s'assura que son téléphone était bien dans sa poche, et elle sortit prudemment. Le parc était plongé dans l'obscurité, sauf une zone assez lointaine illuminée par un projecteur qui s'éteignit soudain puis se ralluma presque aussitôt. Elle décida d'aller dans cette direction, en marchant le long des bâtiments. De nuit, l'environnement paraissait différent, et elle avait du mal à se repérer. Elle s'arrêta pour écouter, mais il n'y avait aucun bruit. Où était allé Lorenzo ? Sans doute du côté du projecteur pour surprendre les intrus. Mais il n'avait pour se défendre qu'une ridicule torche ! Pourquoi ne possédait-il pas une arme, alors qu'il s'entraînait régulièrement au tir afin d'utiliser au mieux les fusils hypodermiques destinés à endormir les animaux ?

Le cri perçant d'un singe la cloua sur place. Immobile, elle attendit que les battements de son cœur se calment. Elle prit conscience qu'elle était entourée de toute une faune – certains animaux en liberté dans leur enclos, d'autres enfermés à l'abri. Grâce à leur ouïe très développée, percevaient-ils une agitation nocturne inhabituelle ? Au loin, le projecteur s'éteignit de nouveau. Que faisait Lorenzo et où se trouvait-il ? Mal à l'aise, elle comprit qu'elle n'aurait pas dû sortir : elle ne serait d'aucune utilité en cas de bagarre, et elle ne savait même pas à quel endroit elle se trouvait ! Alors qu'elle faisait demi-tour, prête à revenir sur ses pas, des voix furieuses lui parvinrent, puis, presque aussitôt, une détonation retentit. Paniquée, elle récupéra son téléphone au fond de sa poche et composa le 18.

*

Par réflexe, Lorenzo s'était jeté à terre. Il avait été très imprudent en interpellant les deux hommes aperçus près du bâtiment des éléphants. Une erreur stupide, mais quand il les avait découverts, la colère l'avait emporté sur la raison.

Contrairement à Cécile, Lorenzo connaissait le moindre recoin du parc. Il en profita pour ramper jusqu'à l'abri d'un muret. Pris en flagrant délit, ces types auraient dû déguerpir au lieu de lui tirer dessus. Pour faire usage d'une arme, ils étaient sans doute très motivés, prêts à prendre tous les risques. Néanmoins, la détonation lui avait paru anormale. Son entraînement au tir lui rendait familier le bruit des armes. S'agissait-il d'un tir à blanc pour effrayer sans blesser ? Dans le doute, Lorenzo ne voulait pas se mettre à découvert. Le plus efficace était d'appeler les gendarmes, ce que Cécile avait déjà dû faire. Si Lorenzo téléphonait lui-même, le son de sa voix allait le trahir.

Il risqua un coup d'œil au-dessus du muret. Le projecteur était de nouveau éteint, et il ne distinguait quasiment rien. Quand il se redressa avec précaution, il fut pris totalement au dépourvu par l'attaque. Il sentit un poids énorme sur son dos et se retrouva à plat ventre, le souffle coupé. L'un des deux assaillants venait de se jeter sur lui.

— Ferme ta gueule ou tu vas morfler ! entendit-il tandis qu'il cherchait à se dégager.

La décharge d'adrénaline provoquée par la colère et la peur lui rendit toutes ses forces. Il était musclé, en bonne condition physique, capable de se battre. Il réussit à faire basculer l'autre, se retrouva au-dessus de lui et mit un genou sur sa gorge. Le type n'avait rien dans les mains ; ce n'était donc pas lui qui maniait l'arme. Où était son acolyte ?

— Qu'est-ce que vous faites ici ? Qu'est-ce que vous cherchez ?

Tout en posant ses questions d'une voix hachée, il jeta un coup d'œil derrière lui et discerna vaguement une silhouette qui se dirigeait vers eux. En même temps, il perçut l'agitation qui régnait dans le bâtiment des éléphants. Ces voyous avaient réussi à affoler les pachydermes, n'imaginant sans doute pas leur dangerosité en cas de panique. La doyenne des femelles, Maya, possédait une force inouïe. Elle pouvait tuer d'un coup de trompe, ou démolir les barreaux et les murs si elle sentait sa troupe en danger, particulièrement l'éléphanteau né quelques mois plus tôt.

— Vous êtes fous, ils vont vous écraser comme des noix ! eut-il le temps de dire avant que le second homme se jette sur lui en lui assenant un violent coup de crosse sur la nuque.

Malgré la douleur, il parvint à rouler sur lui-même pour échapper au coup suivant. Son seul espoir était que Cécile ait appelé la gendarmerie. Mais avait-elle entendu la détonation ou l'attendait-elle bien sagement ? Au moins, les caméras de surveillance devaient enregistrer la scène.

— C'est raté, on s'arrache ! cria l'homme qui venait de le frapper.

L'autre se releva, et lorsqu'il passa près de Lorenzo il lui expédia sa chaussure en pleine tête. Suivirent quelques coups de pied lancés au jugé dans l'obscurité avant que son comparse l'entraîne. Sonné, Lorenzo se laissa aller sur le dos, les bras en croix, cherchant son souffle. Il percevait toujours des piétinements du côté des éléphants, mais plus espacés. À tâtons, il récupéra sa torche dans sa poche, l'alluma et la dirigea vers l'immense porte sur rails. À en juger d'après les marques bien visibles, les types avaient tenté de forcer les serrures de sécurité sans y parvenir. Qu'auraient-ils fait une fois à l'intérieur ? Abattre un des pachydermes pour scier ses défenses ? Ils étaient cinglés, mal renseignés et désorganisés. Probablement des amateurs.

Du sang lui coulait dans les yeux, qu'il essuya d'un revers de main rageur avant de se relever. Il se mit en marche, essayant d'ignorer la douleur qu'il éprouvait à chaque inspiration – sans doute une côte cassée. Les deux hommes s'étaient enfuis vers le haut du parc, du côté des volières ; c'était probablement par là qu'ils étaient entrés, en escaladant le grillage. Leurs repérages avaient dû les dissuader de passer trop près des loups, capables de faire beaucoup de bruit en hurlant à la mort pour s'avertir les uns les autres. De toute façon, quand on ne connaissait rien aux animaux sauvages, investir un parc zoologique en pleine nuit relevait de la démence.

Il n'était plus qu'à quelques dizaines de mètres des locaux administratifs lorsqu'il entendit les sirènes.

*

Les pompiers avaient insisté pour que Lorenzo aille se faire recoudre à l'hôpital, car sa plaie sur la tempe et la pommette nécessitait des points de suture. Mais il n'avait rien voulu savoir, estimant plus urgent de faire une déposition détaillée aux gendarmes, qui s'étaient également déplacés.

— Ces types sont des amateurs, ils auraient pu provoquer une catastrophe. Ils sont allés droit au bâtiment des éléphants, qui étaient leur cible. Je suppose qu'ils projetaient d'en abattre un et de lui prendre ses défenses en les sciant sur place. Ils n'ont aucune notion de ce que peut faire un groupe d'éléphants terrifiés ou furieux. Ce sont des animaux pacifiques, mais il ne faut pas les provoquer, surtout dans un lieu clos.

— Et ils vous ont tiré dessus ? s'enquit le commandant de gendarmerie.

— Je pense que c'était une arme de dissuasion, un tir à blanc.

— Mais alors, avec quoi voulaient-ils tuer l'éléphant ?

— Peut-être comptaient-ils juste l'endormir ? Une très mauvaise idée aussi. Il faut vraiment savoir le faire, et ce n'est pas conseillé.

Lorenzo essayait de fournir des réponses objectives et mesurées, conscient que tout le monde n'appréciait pas forcément son parc animalier. Les gendarmes avaient pour mission de protéger les humains, pas les bêtes, qui représentaient un travail supplémentaire peut-être inutile aux yeux de certains.

— Nous regarderons vos clôtures demain pour savoir par où ils sont passés. En principe, tout le parc est clos ?

— Absolument.

— Bon, il faut qu'un médecin vous examine, monsieur Delmonte. D'abord pour vous soigner, ensuite pour établir un certificat de coups et blessures. C'est indispensable pour le dossier. Demain, nous verrons si nous trouvons une douille, mais s'il s'agissait d'un tir à blanc, comme vous le croyez, la tentative d'homicide ne sera pas retenue.

Debout derrière Lorenzo, Cécile s'affairait. Elle ôta délicatement la compresse imbibée de sang qu'elle avait posée sur la plaie et la remplaça par une autre.

— Si vous installiez une alarme sur ce bâtiment des éléphants, vous seriez tranquille, déclara le commandant d'un ton péremptoire. Ce sont leurs défenses en ivoire qui ont de la valeur, alors que les autres animaux ne présentent pas d'intérêt pour les trafics.

— Vous plaisantez ? s'insurgea Lorenzo. Les rhinocéros ont aussi des cornes très convoitées ; la preuve, l'un d'entre eux a été récemment abattu une nuit au zoo de Thoiry. Il existe aussi des croyances ridicules sur les os ou les moustaches de tigre, qui valent une fortune dans les pays asiatiques ; certains perroquets rares se vendent très cher, et j'en passe !

— Votre zoo regorge de richesses, on dirait ! Ce qui provoque forcément des convoitises.

Exaspéré, Lorenzo haussa les épaules, ce qui lui arracha une grimace de douleur.

— On protège ici des espèces menacées de disparition. C'est la raison d'être de ce parc.

— Un peu folklorique, non ?

Le gendarme cherchait à le provoquer, et Lorenzo évita le piège.

— Les gens sont heureux de pouvoir admirer en famille des tigres, des ours polaires ou des lions blancs, tous ces animaux merveilleux qui disparaissent peu à peu de la surface de la Terre.

— Y ont-ils encore leur place ?

— Cette planète est autant la leur que la nôtre. Ma vocation de vétérinaire est de préserver la vie dans toute sa diversité.

— Si vous le dites…

Le commandant semblait sceptique, presque goguenard ; en revanche, le gendarme qui l'accompagnait adressa à Lorenzo une mimique d'excuse dans le dos de son chef.

— Passez nous voir demain, vous signerez votre déposition et vous pourrez porter plainte. Il nous faudra aussi les bandes des caméras de surveillance.

S'adressant à Cécile, il ajouta :

— Conduisez-le aux urgences et n'oubliez pas le certificat du toubib.

Sa manière de considérer Cécile comme sa compagne agaça Lorenzo, mais il ne releva pas. Il avait besoin des gendarmes pour l'aider à protéger son parc, et il les remercia de s'être déplacés si vite.

— On vous a tout de même tiré dessus et tabassé ! rappela sèchement le commandant.

Pour lui, c'était la raison essentielle de la rapidité de son intervention. Il serra la main de Lorenzo, salua Cécile et sortit, suivi de son acolyte. Quand le bruit de leur voiture s'éloigna, Lorenzo poussa un long soupir de soulagement.

— Secourir les humains, il est d'accord, c'est son métier, mais les animaux, apparemment il s'en fout.

— Peu importe, il est venu tout de suite ! Maintenant, je te conduis à l'hôpital.

Elle avait déjà la clé de sa voiture à la main, tout heureuse de s'occuper de lui, mais il l'arrêta dans son élan.

— Cécile, je suis vétérinaire, tu t'en souviens ? Je sais comment me soigner. Je vais aller chercher ce qu'il me faut dans la pharmacie du parc. Des Steri-Strip feront l'affaire.

— Non ! Tu as besoin d'être recousu, tu…

— Qu'en sais-tu ?

Embarrassé de lui avoir répondu sur un ton cassant, il se radoucit pour expliquer :

— La plaie est superficielle, elle a surtout besoin d'être sérieusement désinfectée. Et puis, je vais être franc avec toi, je ne veux pas qu'on s'occupe de moi, je suis assez grand pour le faire moi-même.

Il n'avait pas trouvé d'autre façon de le dire. Cécile n'était ni sa mère ni sa femme, et il était trop indépendant pour accepter d'être pris en charge.

— Mais tu dois passer une radio, insista-t-elle, et ça, tu ne peux pas le faire tout seul !

Apprendre qu'il avait une ou peut-être deux côtes cassées ne lui serait d'aucune utilité, puisque le seul traitement consistait à attendre que l'os se consolide.

— Je n'ai pas de gêne respiratoire, les poumons ne sont pas touchés.

— Mais chaque mouvement te fait mal, je le vois bien !

— Je prendrai des antalgiques et un myorelaxant.

— Et le certificat de coups et blessures dont les gendarmes ont besoin ?

Devant tant d'insistance, il finit par sourire.

— Très bien, je verrai un médecin demain pour ce fichu papier. En attendant, je vais chercher ce qu'il me faut dans le bâtiment de la clinique vétérinaire.

— Je t'accompagne.

— Non. Reste là bien gentiment et prépare-nous un verre, d'accord ?

— Que je sois d'accord ou pas ne change rien pour toi, n'est-ce pas ? Tu n'es pas très gentil, Lorenzo…

Ce n'était pas un reproche mais plutôt une constatation attristée, une évidence qu'elle déplorait. Il se sentit à la fois coupable, peiné pour elle et malgré tout contrarié.

— Je suis désolé, Cécile. Même si ce n'est pas une excuse, la soirée n'a pas été facile !

— Justement. Je ne demande qu'à t'aider, et tu refuses comme si je te faisais injure. Je sais que tu n'as pas besoin de moi, mais ne me rejette pas. Ou alors, si tu préfères, on peut arrêter là, je ne veux pas t'encombrer.

Elle semblait soudain si triste qu'il alla vers elle et la prit dans ses bras – geste qui provoqua une nouvelle grimace de douleur.

— Va chercher ce qu'il te faut, lui dit-elle tendrement, tu iras mieux après.

Il avait vraiment besoin d'antalgiques, et aussi d'examiner de près la blessure de sa tempe. Il sortit pour gagner le local de la clinique vétérinaire où étaient stockés les médicaments. Une fois sur place, il ne put s'empêcher de penser à Julia. Comme il aurait aimé discuter des événements de la soirée avec elle ! Elle aurait compris et partagé ses inquiétudes, ils auraient parlé des mesures à envisager, ils seraient allés voir ensemble les éléphants pour s'assurer de leur calme. Et elle l'aurait soigné, au besoin se serait chargée de la suture.

Après avoir soigneusement désinfecté la plaie, il constata qu'en effet il aurait mieux valu être recousu, mais il ne pouvait pas le faire lui-même et il se contenta de poser des strips. La blessure allait forcément laisser une cicatrice, de la tempe à la pommette, ce dont il se moquait. Il avala deux comprimés de Doliprane et emporta la boîte avec lui.

En l'attendant, Cécile avait préparé des sandwichs et rempli leurs verres.

— Nous n'avons pas eu le temps de manger, tout à l'heure, et tu dois avoir faim, non ?

Elle faisait vraiment tout pour lui être agréable, et elle était décidément très jolie. Alors pourquoi avait-il envie qu'elle s'en aille ? Pourquoi pensait-il encore et toujours à Julia, qui était inaccessible ?

— Je peux dormir ici avec toi ? demanda-t-elle en levant son verre.

Son sourire anxieux émut Lorenzo. De toute façon, il ne pouvait pas la mettre dehors à une heure aussi tardive.

— Bien sûr. On va dormir ensemble à la maison.

Rechignant à la laisser envahir son repaire sous les toits, il préférait rentrer chez lui, un lieu plus anonyme qui ne représentait rien pour lui. Elle parut pourtant soulagée par sa réponse et lui adressa cette fois un sourire éblouissant, irrésistible.

6

Une fois de plus, Valère avait changé de voiture et il s'était empressé de tester les capacités de son coupé Audi sur les routes. Sa première destination avait été le restaurant d'Anouk, où il avait dégusté un menu gastronomique. Ne tarissant pas d'éloges sur les qualités de chef de sa sœur, il avait accepté son hospitalité pour la nuit. Elle habitait au-dessus du Colvert, dans l'appartement fonctionnel mis à sa disposition et qui comptait une chambre d'amis. Ils y étaient montés tard, après le service du soir, et ils avaient bavardé longtemps, heureux de se retrouver.

— Demain, je ferai un détour pour aller voir Lorenzo avant de remonter à Paris.

— Tu veux lui montrer ta voiture ?

— Je veux surtout voir comment grandit le girafon dont je suis le parrain ! Et parler à Lorenzo d'un éventuel sponsor très intéressé par son parc.

— Ce serait bien pour lui, avec tout ce qu'il met en chantier je sais qu'il manque toujours de capitaux. Il ne me confie pas ses soucis d'argent, mais nous avons le même comptable.

— Qui donc trahit le secret professionnel !

— Lorenzo lui a dit qu'il n'avait pas de secret pour sa petite sœur. D'ailleurs, les comptes du parc sont accessibles à qui veut les consulter.

— J'imagine qu'ils sont déficitaires ?
— Forcément. C'est ennuyeux pour ton sponsor ?
— Pas du tout. Mettre de l'argent dans le parc lui permettra d'alléger les d'impôts de sa société et lui offrira une nouvelle image de marque. La protection des animaux a le vent en poupe ces temps-ci.
— On s'est tellement moqués d'eux ! On les a méprisés, chassés, tués, enfermés, exploités, torturés… et j'en passe.
— J'ai l'impression d'entendre Lorenzo. Le grand frère t'a convaincue ?
— Je l'ai toujours été. Souviens-toi, je me suis roulée par terre pour avoir un chien, ou au moins un chat, mais papa refusait catégoriquement.
— Il ne voulait pas faire plaisir à Lorenzo, qui clamait sa passion pour les bêtes et jurait qu'il serait vétérinaire.
À l'époque, Xavier le toisait et rétorquait que le concours d'admission se chargerait de lui ôter ses illusions. Sans le savoir, il décuplait ainsi l'envie de réussir de son beau-fils.
— Pourquoi n'avons-nous jamais protesté ? demanda Anouk d'un ton songeur. On voyait bien que Lorenzo était traité différemment, et pas gentiment !
— Protesté comment ? Papa n'était pas toujours commode, souviens-toi.
— Faux. Il nous passait tout.
— Mais il n'aurait pas supporté que nous prenions la défense de Lorenzo. Même maman n'y arrivait pas. Et puis, nous étions trop jeunes pour nous en mêler.
— Ou trop égoïstes.
Valère prit le temps d'y réfléchir avant d'acquiescer.
— Peut-être… Chacun dans son petit monde.
— Moi la première. Je testais déjà des recettes et je me fichais pas mal des disputes entre papa et Lorenzo.

— Pas moi. J'étais en admiration devant mon grand frère, et leurs querelles me rendaient malheureux ; de là à essayer d'intervenir…

— D'autant plus que tu étais le chouchou de papa.

— Son *vrai* fils, son fils *unique*. Il m'a appelé comme ça un jour et je l'ai très mal vécu.

— C'est lui qui vivait mal le fantôme du premier mari de maman.

— Au point de rejeter tout ce qui pouvait évoquer l'Italie de près ou de loin ?

— Rappelle-toi la manière dont Lorenzo parlait de son grand-père.

— Élogieuse ? Quoi de plus légitime ? Au moins, Ettore l'aimait, lui.

Ils méditèrent quelques instants sur leurs souvenirs d'enfance, puis Anouk reprit la parole :

— Tu es au courant, pour l'attaque nocturne dans le parc ? Lorenzo s'est fait tabasser par deux mecs.

— Oui, il m'a raconté ça au téléphone. Les gendarmes enquêtent, mais, si tu veux mon avis, on ne les retrouvera jamais. Et d'après Lorenzo, ils ne reviendront pas, c'étaient des amateurs. Paradoxalement, leur intrusion a montré que la sécurité du parc n'est pas mauvaise.

— Et aussi que notre frère n'est pas un lâche : il est monté au front.

— Tu en doutais ?

— Bien sûr que non. Mais le pauvre a une vraie tête de boxeur, ses hématomes passent par toutes les couleurs, et il conservera une cicatrice ! Il est venu dîner au Colvert avec sa copine, Cécile, qui a vraiment eu la trouille.

— Il te l'a présentée ? C'est bon signe !

— Je ne sais pas. Il ne semble pas très amoureux. En revanche, elle est en extase, elle le couve du regard et guette toutes ses réactions. Elle m'est sympathique, je la trouve intelligente, jolie, bosseuse, bien élevée…

— Toutes les qualités moins une : elle n'aime pas beaucoup les animaux. Ou plutôt, elle s'en fiche.

— Ah bon ?

— C'est ce qu'affirme Lorenzo. Et sur ce plan-là, elle ne peut pas lui mentir !

Déçue, Anouk haussa les épaules.

— Ne me dis pas qu'on en revient toujours à Julia ?

— À propos, elle a fait une fausse couche.

— Navrée pour elle, mais j'espère que ça ne remet pas en question son mariage et son départ du parc.

— Tu voudrais la voir disparaître du paysage ?

— Tant qu'il l'aura sous les yeux, il ne pourra s'attacher à aucune autre femme. Il faut qu'elle sorte de sa vie !

— Tu es bien virulente.

— Je voudrais le voir heureux : il le mérite et il a tout pour ça.

— D'après toi, le bonheur passe par l'amour ?

— Forcément !

— Dans ce cas, tu es malheureuse, et moi aussi, puisque nous sommes seuls.

— Je n'ai pas encore rencontré la bonne personne.

— Moi non plus ! Mais ça ne m'empêche pas d'être joyeux et de profiter de la vie.

— Toi, bien sûr, tu es un cœur d'artichaut. Ce que tu aimes, c'est la conquête, l'aventure.

— Et toi ?

— Mes fourneaux.

Elle éclata de rire devant l'air sceptique de son frère.

— Ce restaurant est à la fois une chance et un défi que je compte bien relever. Je n'ai pas le temps d'être sentimentale, il faudrait vraiment que ça me tombe dessus par surprise. Pour l'instant, en tout cas, je ne me sens ni frustrée ni insatisfaite.

— Mais tu as trente et un ans.

— Oh, ne me parle pas d'horloge biologique ! Toutes les femmes ne veulent pas forcément des enfants.

— Laetitia essaie désespérément d'en avoir.

— Tu as de ses nouvelles ?

— Elle va bien, et figure-toi qu'elle et Yann ont déniché une belle occasion en Bretagne, comme ils le souhaitaient. Il a obtenu sa mutation, trouvé une petite maison, et Laetitia cherche une place de pharmacienne. Je crois qu'elle a déjà reçu plusieurs offres. Maman se désespère à l'idée de voir sa seconde fille s'éloigner ! Et papa enrage de constater que, décidément, Laetitia ne reprendra jamais son officine. Elle avait pourtant annoncé qu'elle quitterait Paris, mais il n'y croyait pas.

— Pauvre maman, soupira Anouk. Elle va devoir négocier ses séjours en Bretagne pour voir Laetitia, ses voyages ici pour me voir et voir Lorenzo au passage, alors que papa déteste qu'elle s'absente !

— Elle est libre. Être mariée et mère de famille ne signifie pas qu'on soit prisonnier.

— Elle a toujours eu du mal à le contrarier.

— Eh bien, il n'a qu'à l'accompagner !

— En Bretagne, sans doute. Même s'il critiquera vertement la pharmacie que Laetitia aura trouvée et qui ne sera jamais assez bien à ses yeux. Mais ici…

Ils échangèrent un regard, sachant qu'ils pensaient la même chose. Ils aimaient beaucoup leurs parents mais déploraient l'effacement de leur mère.

— On devrait aller se coucher, suggéra Anouk, il est vraiment tard.

— Tu as du monde demain au restaurant ?

— C'est plein tous les jours !

— Waouh ! Tu y arrives ?

— J'ai une bonne équipe, avec un jeune sommelier très prometteur et, en salle, un chef de rang irréprochable.

— À quand une étoile ?

— Si tu savais comme je l'espère…

— Tu l'auras, tu es un grand chef.

— On verra si les critiques gastronomiques sont de ton avis.

Attendri, Valère serra sa sœur contre lui. Même s'il avait quatre ans de moins qu'elle, il se souvenait de tous les gâteaux dont elle régalait la famille, puis de ses premières recettes de plats en sauce, de la stupeur émerveillée de leur mère, mais aussi des empilements de casseroles, d'ustensiles et de plats sales. Le chaos régnait dans la cuisine, ainsi que des odeurs merveilleuses qui donnaient faim.

Il gagna la chambre d'amis, qu'elle avait meublée de façon spartiate, ce qui lui tira un sourire. Anouk se fichait pas mal de son domicile, où elle ne faisait que dormir et se laver, alors qu'elle pouvait pinailler durant des heures sur la composition des bouquets qui ornaient les tables de son restaurant.

Au moment de s'endormir, il eut une dernière pensée pour ses sœurs et son frère. Son *demi*-frère, comme n'aurait pas manqué de le rappeler Xavier. Ces trois-là accomplissaient leur destin, vivaient leurs passions et leurs amours, alors que Valère ne connaissait que de petits plaisirs, des joies mesurées. Y avait-il une recette, comme en cuisine, pour exister pleinement ? Mais pour aller au bout de ses rêves, encore fallait-il en avoir ! Et il avait beau chercher, il ne s'en découvrait pas.

*

Dès le lendemain de son retour, Julia s'était disputée avec Marc. Il exigeait qu'elle reste à la maison alors qu'elle voulait se rendre au parc, non pas pour y travailler tout de suite, mais pour en retrouver l'ambiance, discuter avec les soigneurs et savoir ce qu'il advenait de tel ou tel animal, en particulier Malika, la panthère noire.

Inquiet pour elle, Marc lui avait parlé de façon beaucoup trop autoritaire et Julia s'était rebiffée. Du coup, elle était partie seule, au volant de sa voiture, et il avait dû prendre la sienne pour la suivre, de très mauvaise humeur. Il commençait à comprendre que la suite de leur relation ne serait pas aussi évidente qu'il avait pu le croire. Désireux d'être rassuré, il était résolu à la pousser dans ses retranchements en lui demandant de fixer une date précise – et proche ! – pour leur mariage.

Julia, qui ne partageait pas les angoisses de Marc, ou plutôt évitait d'y penser, retrouva le parc avec un réel plaisir. D'autant plus que l'accueil de tous les soigneurs fut chaleureux et sincère. Ils aimaient bien Julia pour sa disponibilité, ses compétences, son caractère joyeux. Lorenzo était vu comme le patron, quelqu'un de rigoureux qui ne transigeait sur rien, admiré mais aussi redouté par les employés, alors que Julia était plus souple, plus proche d'eux.

— Bienvenue ! lui lança Dorothée, la soigneuse attitrée des panthères. Tu viens voir Malika ? Elle est en forme, et Lorenzo l'opérera la semaine prochaine. Comment te sens-tu ?

— Heureuse d'être de retour !

— Tu tombes bien, j'allais les lâcher. Si tu veux observer Malika de près, c'est le moment.

Julia prit son talkie-walkie pour annoncer, comme l'exigeaient les règles de sécurité, qu'elle entrait avec Dorothée dans le bâtiment des panthères pour une dizaine de minutes. Chacun avait l'obligation de signaler ses déplacements, en particulier dans les zones d'animaux dangereux. Un incident pouvait toujours survenir, dû à un dysfonctionnement des systèmes électriques ou à une négligence.

Dans son box, Malika allait et venait, sans doute pressée de sortir. Julia croisa son sublime regard vert émeraude sans pouvoir y lire autre chose que le mystère habituel.

— Qu'elle est belle ! murmura-t-elle. Hautaine, lointaine, sauvage…

Les félins la fascinaient de plus en plus ; elle prenait un grand plaisir à les approcher et à les soigner.

— Quand reprends-tu le travail ? voulut savoir Dorothée.

— Le plus tôt possible. Sans doute lundi. Après tout, je ne suis pas malade.

— Mais tu as sûrement été très… euh… déçue, non ?

— Oui, triste et déçue.

Elle avait répondu vite, sachant ce qu'on attendait d'elle. La perte de son bébé aurait dû lui causer une peine immense, pourtant elle ne ressentait qu'un chagrin diffus. Elle s'en voulait de ne pas être au diapason de Marc, qui considérait la fausse couche comme un drame pour leur couple. C'était un drame tout court, un drame en soi, un drame pour le bébé, mais en ce qui la concernait, elle se trouvait ainsi libérée d'un engagement pris trop vite. Marc n'était pas l'homme avec lequel elle voulait passer sa vie entière, pourquoi ne l'avait-elle pas admis plus tôt ? Restait à le lui apprendre, et elle ne savait pas comment.

Dorothée ouvrit la trappe qui menait vers l'extérieur, et la panthère noire s'y engouffra.

— Elle ne se fait pas prier, constata Julia en riant, elle a dû me reconnaître !

La plupart des animaux identifiaient les vétérinaires comme des ennemis en raison des fléchages avec les fusils hypodermiques. S'ils ne se méfiaient pas la première fois, ensuite leur crainte s'installait pour la vie.

Alors qu'elles quittaient le bâtiment, une petite voiture de service aux couleurs du parc vint s'arrêter devant elles.

— Te voilà ! s'exclama joyeusement Lorenzo.

Il sauta hors de son véhicule pour la serrer dans ses bras.

— On t'attendait tous avec impatience, n'est-ce pas, Dorothée ? Mais tu ne fais que te promener sagement aujourd'hui, sinon Marc m'arrachera les yeux.

Sa plaisanterie tomba à plat. Julia n'avait pas envie qu'on lui rappelle à quel point Marc veillait sur elle.

— Tu ressembles à un boxeur au dernier round, répliqua-t-elle. Et ta côte cassée, pas trop douloureux ?

— À condition de ne pas tousser ni éternuer, c'est supportable.

Le sourire ravi de Lorenzo, ses yeux profonds, ses cheveux trop longs et sa barbe de trois jours : tout plaisait à Julia malgré les traces d'hématomes.

— Tu t'es bien battu ? demanda-t-elle en riant. Tu leur as donné du fil à retordre ?

Elle faisait allusion à quelques bagarres qui avaient eu lieu à Maisons-Alfort, durant leurs études, certains samedis soir trop arrosés.

— J'ai fait ce que j'ai pu, répondit-il avec une mimique d'excuse. J'aurais bien aimé les livrer pieds et poings liés aux gendarmes, mais ils m'ont mis hors jeu.

— En tout cas c'est vous qui les avez fait fuir, intervint Dorothée, et nos éléphants n'ont rien !

Julia réprima un sourire. La plupart des femmes qui travaillaient dans le parc avaient un petit faible pour Lorenzo, qu'elles appelaient en secret *le bel Italien.*

— Je t'emmène faire la connaissance du nouveau pensionnaire arrivé en ton absence, proposa-t-il en désignant la voiture de service.

— Le panda roux ?

— Il est craquant, tu vas voir ! Et ensuite, si tu veux m'accompagner, je dois passer chez les loups, Marc m'a bipé pour un louveteau qui boite.

Elle se sentit aussitôt mal à l'aise, alors que jusque-là elle avait été si contente de se retrouver au parc.

— Comment s'appelle-t-il ?

— Le panda roux ? Balajo. Ce sera un bon reproducteur. Il est en pleine saison des amours, et pour se donner des forces il se gave de bambou !

Comme toujours, afin d'éviter la consanguinité, le parc Delmonte avait procédé à un échange avec un autre zoo d'Europe. Lorenzo veillait à ces croisements, très attaché au programme de préservation des espèces en danger d'extinction. Et le panda roux de Styan en faisait partie, ayant perdu la moitié de sa population sauvage en moins de vingt ans.

Arrivés sur le territoire des pandas, Lorenzo et Julia localisèrent Balajo sur la branche d'un grand conifère où il semblait avoir élu domicile.

— Il est superbe ! s'enthousiasma Julia. Un beau petit « renard de feu », selon les Chinois, mais pour ma part je trouve qu'il ressemble plutôt à une peluche.

Timide, à l'instar de ses congénères, le petit animal les regardait approcher avec méfiance.

— Ne l'embêtons pas, suggéra Julia. Je prends juste une photo de lui pour pouvoir l'identifier la prochaine fois.

En quittant l'enclos, elle avertit Lorenzo qu'elle ne l'accompagnerait pas chez les loups.

— Tu es fatiguée ?

— Non, mais... Pour ne rien te cacher, je tiens à continuer mon tour de parc sans que Marc me prenne sous son aile et m'abreuve de conseils. Puisqu'il t'attend là-bas, vas-y tout seul.

Sur le point de remonter dans la voiture de service, Lorenzo s'arrêta net et dévisagea Julia.

— Quelque chose ne va pas entre vous ?

Elle secoua la tête, soupira et finit par avouer à contrecœur :

— Nous avons beaucoup de sujets de désaccord.

— Tu veux m'en parler ? Je peux t'aider ?

Comme elle ne répondait pas, il insista :

— La perte du bébé est sans doute difficile à surmonter, il va vous falloir un peu de temps.

— Du temps pour quoi faire ?

— Votre deuil.

— Le problème n'est pas là. En réalité, nous ne nous comprenons plus, nous ne sommes plus sur la même longueur d'onde. Marc a de grandes qualités, mais...

Comme elle ne voulait pas le dénigrer, elle s'interrompit, cherchant ses mots.

— Eh bien, j'en viens à me demander si nous ne ferions pas mieux de nous séparer. Continuer ensemble va nous conduire dans une impasse.

— Pourquoi ? Tout allait bien il n'y a pas si longtemps, non ?

— On ne bâtit pas sa vie sur un coup de cœur. J'ai eu tort de le croire. Tort de me précipiter pour vivre avec

Marc, penser mariage avec Marc, faire un enfant avec Marc… En principe, je suis plus réfléchie, moins impulsive. Je n'ai pas su attendre et je le regrette. Aujourd'hui, je me sens prisonnière ; pour me libérer, je vais devoir faire souffrir un homme que j'aime beaucoup. Mais aimer *beaucoup* ne signifie rien quand on est amoureux, n'est-ce pas ?

Lorenzo la regardait toujours avec une expression indéchiffrable.

— Je t'embête avec mes histoires…

— Tu ne m'embêtes jamais, Julia. Pas toi.

Il ne souriait pas, n'exprimait pas de compassion et continuait à la scruter d'une telle façon qu'elle perdit contenance.

— Va voir le louveteau, bredouilla-t-elle, je me promène de mon côté.

Elle se détourna pour fuir le regard scrutateur de Lorenzo. Avait-elle eu raison de se confier à lui ? Il était son meilleur ami, toujours bienveillant et attentif, mais quelque chose dans ses propos avait dû le heurter. Jugeait-il qu'elle s'était comportée avec trop de légèreté et qu'elle n'était qu'une écervelée ? Pour rien au monde elle ne voulait perdre son estime, ni la complicité qui les liait.

Contrariée, elle se mit à marcher en direction du territoire des ours bruns.

*

Le louveteau aurait voulu s'éloigner du grillage, mais sa boiterie l'en empêchait.

— Il a une fracture, décida Lorenzo, qui l'observait depuis de longues minutes.

C'était une mauvaise nouvelle, car il allait falloir séparer le petit de sa mère pour le soigner. Et son absence devrait être le plus courte possible, sinon à son retour toute la meute risquait de le rejeter.

— Comment est-ce arrivé ? Tu as une idée ?

— Aucune, se défendit Marc. Je l'ai trouvé comme ça ce matin.

— Je vais devoir faire une radio, et si la fracture est nette lui mettre une attelle qu'il gardera au moins un mois, peut-être deux. Je ne sais pas de quelle façon le groupe va réagir. S'ils cherchent à le débarrasser de ses bandages, ce sera une catastrophe. Bon sang, il faut un sacré choc pour fracturer une patte !

— Ne prends pas cet air accusateur, je n'y suis pour rien.

— Je ne t'accuse pas.

— Tu verrais ta tête de censeur !

Le ton de Marc était éloquent : il était toujours en colère contre Lorenzo. Celui-ci décida de ne pas relever, pour ne pas envenimer davantage leurs rapports. Il choisit de s'adresser aux deux soigneurs habituels des loups, qui attendaient ses directives.

— Il faut le mettre à l'écart. Vous pensez y arriver ?

— On doit d'abord éloigner sa mère. On va essayer de la faire passer dans le deuxième enclos. Il ne pourra pas la suivre, il est vraiment handicapé.

— Ne le faites surtout pas courir. Je vais chercher le matériel nécessaire pour l'endormir et on le transportera à la clinique. Tu viens m'aider, Marc ?

Mieux valait laisser seuls les deux soigneurs auxquels les loups étaient habitués. Une fois dans la voiture, Lorenzo en profita pour clarifier les choses :

— Je ne t'ai pas mis en cause au sujet de ce louveteau. En ce moment, tu prends tout très mal, ce qui va finir par pourrir l'ambiance. Je croyais que nous nous étions suffisamment expliqués en rentrant de l'hôpital, l'autre jour. Si ce n'est pas le cas, vas-y, je t'écoute.

Visage fermé, Marc ne répondit rien. Sa mauvaise humeur était-elle liée à Julia ? Lorenzo freina sèchement devant la clinique et posa sa main sur le bras de Marc pour l'empêcher de descendre.

— Vidons l'abcès, d'accord ? Pour la bonne marche du travail, j'ai besoin de toi, d'être en parfaite confiance avec toi. Il y a des années qu'on bosse ensemble et on s'entendait très bien jusqu'ici. Si ça doit changer, ça n'ira pas.

— Tu veux me virer ? ricana Marc.

Lorenzo leva les yeux au ciel en répliquant :

— Tu as vraiment un problème !

Exaspéré, il descendit de voiture et claqua rageusement la portière. Marc le suivit, l'air penaud.

— Attends-moi ! Je vais porter ton matériel. Ce louveteau est en pleine période de croissance rapide. Il doit peser dans les douze kilos. S'il se remet bien, ce sera un superbe mâle...

— Qui entrera en conflit avec son père.

— À coup sûr, mais pas maintenant. Tu sais quoi ? Je suis en admiration devant ces loups blancs, ils sont tellement beaux !

— Et ils ont un sens de la famille très développé.

— Oh, ils ne sont pas les seuls ! Si les gens se donnaient la peine d'observer les animaux...

— On fait tout pour ça, non ? Pour que le public puisse voir, s'émerveiller et prendre conscience.

Lorenzo réprima un sourire, heureux de constater que Marc retrouvait sa bonne humeur. Il sélectionna un certain nombre de produits – anesthésiant et antidote –, confia la mallette du fusil hypodermique à Marc, prit un stéthoscope puis appela sur son talkie-walkie les soigneurs du louveteau, qui avaient réussi à l'isoler. Sans le formuler à voix haute, il regretta l'absence de Julia. Elle était très douée pour l'interprétation des images de radiologie, et ils auraient pu confronter leurs avis. Si la fracture était plus compliquée que prévu et que la pose d'une broche se révélait nécessaire, il aurait besoin d'elle de toute façon. Mais Marc serait-il d'accord pour qu'elle se remette au travail ? Une dispute entre eux ne manquerait pas d'éclater, et Lorenzo ne voulait pas en être la cause. Les confidences de Julia l'avaient déstabilisé ; il ne savait plus quoi penser. En l'entendant avouer qu'elle envisageait de se séparer de Marc, il avait frémi. Elle n'était donc plus inaccessible ? Sauf pour lui, qui devrait sans doute rester l'ami, le confrère ! D'ailleurs, il avait entamé une relation avec Cécile ; il ne pouvait décemment pas se mettre en tête de reconquérir à tout prix Julia. Les dés étaient jetés pour elle et pour lui, il n'avait pas d'autre option que de se résigner.

*

Juchée sur l'une des tables, Julia bavardait avec Adrien, le gérant. L'espace restauration devait ouvrir en même temps que le parc, et il ne restait plus que trois jours pour tout mettre en place.

— En principe, nous serons prêts. Je dis bien « en principe », parce qu'il y a toujours des contretemps !

Il se pencha pour inspecter l'une des vitrines réfrigérées et enchaîna :

— J'ai soumis une liste de plats du jour à Lorenzo, qui les a validés.

— Il contrôle ça aussi ? s'amusa Julia.

— Tu sais bien qu'il contrôle tout ! Il le fait avec le sourire, façon main de fer dans un gant de velours, mais gare à toi si un truc ne va pas. Ce parc est son bébé, la prunelle de ses yeux, le…

— Je te rappelle qu'il y a mis toute son âme.

— Et tout son argent, même celui qu'il n'avait pas. Mais ne t'inquiète pas, je suis dans son camp. Plus le parc Delmonte sera célèbre et visité, plus je serai content. Pas riche, parce que nos prix sont très serrés, mais heureux de participer à cette belle aventure.

— Tu as changé un truc dans le décor, non ?

— Ah, tu l'as remarqué ! Oui, j'ai fait agrandir les ouvertures, là et là, pour que nos clients puissent bien voir les cuisines. C'est rassurant pour eux, et c'est aussi distrayant pendant qu'ils attendent leur tour.

Julia acquiesça tout en détaillant les panneaux accrochés au-dessus des comptoirs. Ils indiquaient que la plupart des ingrédients utilisés provenaient de producteurs locaux, avec leurs noms et leurs adresses. Manifestement, Adrien misait sur la transparence.

— Tiens ! s'exclama-t-il soudain. Voilà la copine du boss !

Dehors, Cécile leur fit un signe amical avant de pousser la porte du restaurant pour les rejoindre. Elle portait un blouson fourré au col relevé, des bottes sur son jean, et elle avait attaché ses longs cheveux blonds en queue-de-cheval.

— Quel froid, ce matin ! Bonjour, Adrien, bonjour, Julia. Est-ce que l'un de vous deux sait où est Lorenzo ? Son téléphone est coupé.

Cécile souriait, affable, et il était difficile de ne pas la trouver jolie. Lorenzo avait dû s'attacher à elle, peut-être même avait-il des projets d'avenir. Cette idée causa un pincement de cœur à Julia. Elle ne voulait pas imaginer Lorenzo marié, papa…

— Il doit être à la clinique, il avait un louveteau à soigner, dit-elle enfin.

— Alors, je ne vais pas le déranger. Est-ce que tout est prêt, ici ?

Elle s'était adressée à Adrien sur un ton de maîtresse des lieux qui agaça Julia.

— On y travaille, répondit-il. L'hiver, les gens apportent moins volontiers leurs pique-niques que l'été parce qu'ils veulent un plat chaud. Ils aiment bien passer un moment à l'abri avant de poursuivre la visite du parc, et on vend un nombre incroyable de cafés ! J'ai préparé mes commandes en conséquence et tout a été livré, sauf les produits frais, qui arrivent quotidiennement.

— À propos de café, croyez-vous possible de m'en faire un ?

Adrien lui lança un coup d'œil interloqué puis désigna l'un des distributeurs alignés le long d'un mur.

— Les deux premiers fonctionnent, allez-y. Il faut juste mettre une pièce de un euro et choisir sa formule, court ou long, avec ou sans sucre…

Elle comprit sa maladresse et se hâta de proposer :

— Qui en veut un ? C'est ma tournée ! Julia ? Adrien ?

Fouillant dans son sac, elle en sortit une poignée de monnaie.

— J'en porterais bien un à Lorenzo, ajouta-t-elle.

— S'il est à la clinique, il a une cafetière sur place, intervint Julia.

Elles échangèrent un regard, chacune jaugeant l'autre. Cécile savait-elle que Julia n'était pas simplement l'un des vétérinaires du parc mais qu'elle avait eu un rôle important dans le passé de Lorenzo ? Et aussi qu'ils conservaient un lien plein de tendresse ?

— Vraiment abordable ! constata Cécile en désignant la grande ardoise placée au-dessus du comptoir principal, qui indiquait le prix de chaque plat, menu ou formule. Évidemment, nous ne sommes pas au Colvert… Vous avez entendu parler du restaurant d'Anouk, la sœur de Lorenzo ? Nous y avons fait un dîner divin !

Ravie d'afficher son intimité avec Lorenzo, elle souriait tout en observant Julia du coin de l'œil. Comme celle-ci restait silencieuse, son sourire s'élargit.

— Maintenant, testons ce café !

Elle faisait vraiment tout pour être à la fois aimable et à l'aise, mais Julia n'éprouvait aucune sympathie pour elle. Imaginer Lorenzo amoureux de cette jeune femme lui déplaisait ; pourtant, elle avait affirmé à plusieurs reprises qu'elle souhaitait le voir heureux. Était-ce un mensonge ?

Décidée à faire un effort, elle vint prendre le gobelet que Cécile lui tendait.

— Anouk a toujours été douée pour la cuisine, déclara-t-elle. Devenir chef était sa vocation dès l'adolescence.

— Vous la connaissez ?

— Oui, je connais toute la famille de Lorenzo.

Bêtement, elle eut l'impression de marquer un point. Elle n'était pourtant pas en compétition avec Cécile !

— Pour un café de distributeur, il est vraiment bon, dit cette dernière à Adrien.

Julia ne voulait plus parler de Lorenzo, ou plutôt elle voulait que Cécile cesse d'en parler.

— Je vais voir où ils en sont avec ce louveteau, annonça-t-elle.

Et sans laisser à Cécile le temps de réagir, elle adressa un signe amical à Adrien tout en traversant la grande salle au pas de charge.

*

— Huit jours ! tonna Maude. Une semaine, au moins ! J'ai besoin d'embrasser mes enfants, tu peux comprendre, non ? Anouk et Lorenzo me manquent beaucoup. Oui, Lorenzo, ne t'en déplaise ! Ensuite, j'irai en Bretagne voir de quelle façon Laetitia est installée. J'ignore comment tu fais pour supporter leur éloignement, mais moi j'ai envie de les embrasser, de savoir où ils en sont et si tout va bien pour eux. C'est ça, le rôle d'une mère, quel que soit leur âge.

Elle était suffisamment en colère pour braver Xavier. Le détonateur avait été un petit article très élogieux sur le parc Delmonte paru dans le quotidien que Maude lisait chaque matin. Et, soudain, elle avait réalisé qu'elle voulait serrer Lorenzo dans ses bras, le féliciter pour sa réussite, l'encourager, l'écouter, partager ses émotions, comme n'importe quelle mère aurait envie de le faire. Elle en avait assez d'être bloquée à Paris, de tourner en rond dans l'appartement en attendant que Xavier remonte de la pharmacie, assez d'écouter ses anecdotes qui se ressemblaient toutes.

— C'est ridicule, nous sommes en plein hiver, plaida-t-il.

— Et alors ? Qu'est-ce que ça change ?

— J'ai beaucoup de travail avec la grippe, les gastros...

— Toujours la même excuse ! Au printemps ce seront les allergies aux pollens, et l'été les insolations et les coups de soleil ! Je ne marche pas, Xavier, je m'en vais.

Il comprit que, cette fois, elle ne céderait pas, et qu'il n'arriverait pas à l'apaiser avec des promesses.

— Moi aussi, j'aimerais embrasser Anouk, affirma-t-il. Si mes employés sont d'accord, je pourrais peut-être m'absenter quelques jours et t'accompagner. Après tout, je ne prends quasiment jamais de vacances…

— À qui le dis-tu ! Mais tu es sérieux, tu viendrais avec moi ?

Elle le dévisagea pour s'assurer de sa bonne volonté.

— Il n'y a pas qu'Anouk, précisa-t-elle.

— Oui, j'ai compris, il faudra aussi visiter ce fichu parc !

— *Fichu* parc ? Si tu commences comme ça…

— Je ferai un effort, promis.

— Tu auras intérêt, car je suppose que Lorenzo voudra nous présenter son amie, Cécile. D'après Valère, elle est charmante.

— Je te rappelle que Valère trouve toutes les femmes charmantes.

— Elle travaille au conseil régional et elle…

— Tiens donc ! Je vois que Laurent ne perd pas le sens des affaires.

— Oh, je t'en prie ! Et arrête de l'appeler Laurent. Je n'aurais pas dû te laisser faire, en quelque sorte tu lui as volé son identité.

— Rien que ça !

Xavier haussa les épaules, mais au fond de lui-même il devait bien admettre que son antipathie pour Lorenzo l'avait souvent conduit à être injuste. Cette histoire d'Italie prise en horreur était somme toute ridicule et ne le grandissait pas.

— On pourrait partir, voyons…

Pour se donner une contenance, il sortit un petit agenda de sa poche et le consulta.

— Le mois prochain ? suggéra-t-il.

Maude secoua la tête en signe de dénégation.

— Je veux partir maintenant ! D'ailleurs, je vais faire ma valise.

Jamais il ne l'avait vue aussi déterminée. Pourquoi prenait-elle la mouche dès qu'il s'agissait des enfants ? Et comment savoir si elle ne préférait pas être seule pour aller les voir ? Une question très contrariante.

— Très bien, je vais m'organiser au plus vite et au mieux.

— Le plus vite, c'est tout de suite.

Mais qu'avait-elle donc ? Était-il concevable qu'elle ne tienne pas compte des impératifs de son mari ?

— Tu emploies une pharmacienne diplômée et un préparateur en qui tu as toute confiance, tu peux t'absenter quand tu veux sans le moindre souci. Alors ou tu pars avec moi demain matin à la première heure, ou tu me rejoins, ou tu ne viens pas du tout, à toi de choisir.

— Je ne comprends pas pourquoi tu m'agresses, Maude ! Je t'ai pourtant dit que j'acceptais de t'accompagner.

— Tu t'entends, Xavier ? Tu « acceptes » de m'accompagner, comme s'il s'agissait d'une corvée, or ce sont tes enfants. Enfin, pas Lorenzo, tu me l'as assez fait remarquer.

Durant bien des années, elle avait évité le sujet, ne voulant sans doute pas jeter de l'huile sur le feu. Elle avait fermé ses yeux et ses oreilles, qu'elle ouvrait grands aujourd'hui. Pourquoi ?

— Chaque fois qu'il est question de lui, on se dispute, constata-t-il amèrement. Eh bien, je vais te prouver que tu te fais des idées, je compte visiter son parc avec curiosité et sans parti pris.

Maude éclata d'un rire spontané qui le vexa, mais elle enchaîna, conciliante :

— Je prépare ta valise aussi, alors ?

Comme elle semblait de meilleure humeur, il n'eut pas le courage de la contredire.

*

Après s'être attardé deux jours chez Anouk, Valère avait rejoint le parc, heureux de retrouver Lorenzo et curieux de savoir si sa relation avec Cécile progressait. Il était porteur d'une bonne nouvelle – ce sponsor qu'il avait convaincu.

— Mais c'est donnant-donnant, expliqua-t-il à son frère. Il veut son logo sur les prospectus et les affiches. Le parrainage d'un parc zoologique représente une sorte de caution morale dont son entreprise a besoin. Le côté vertueux des affaires ! Bon, tu t'en fiches, l'important est qu'il mette de l'argent à ta disposition. Je suppose que tu as des projets d'agrandissement, d'amélioration ?

— Toujours ! répliqua Lorenzo en souriant.

— Alors peut-être qu'un bâtiment ou un enclos pourrait porter le nom de sa société ?

— C'est beaucoup. Un peu plus et tu vas me demander de me transformer en homme-sandwich !

— L'argent ne se trouve pas si facilement par les temps qui courent, Lorenzo.

— Je sais. Mais je veux préserver l'indépendance du parc.

— Bon, j'en parlerai à Cécile, elle est plus au fait que toi de ces répartitions de subventions, de parrainages, de…

— Cécile ? Tu plaisantes ? Tout ce qui concerne le parc passe par moi. Quant à Cécile, elle est sûrement très compétente, mais ce n'est ni ma femme ni mon associée.

— Oh là, ne monte pas sur tes grands chevaux ! Tu diriges tout, tu ne délègues rien, d'accord.

— Je veux bien déléguer, en revanche je refuse de mêler ma petite amie à mes affaires.

— Elle n'est rien de plus pour toi ?

— Qu'est-ce que tu imaginais ?

Valère ne répondit pas, comprenant que son frère n'envisageait pas de s'engager, et que pour l'instant Cécile ne comptait pas vraiment. Si elle devait prendre un jour une place dans la vie de Lorenzo, elle ne l'avait pas encore trouvée.

— Et ton comptable, j'ai le droit de lui parler ?

— Bien sûr. Mais arrête de me prendre pour un crétin en ce qui concerne les finances. Je suis parfaitement conscient des besoins énormes du parc. Les frais de fonctionnement deviennent vertigineux, tout augmente en permanence, la nourriture des animaux, les carburants, les charges… Pourtant, on s'en sort, même si l'équilibre est précaire. Cécile m'a beaucoup aidé pour obtenir l'appui de la Région et je lui en suis reconnaissant, mais j'ai sûrement commis une erreur en sortant avec elle.

— Pourquoi ? Tu as peur qu'on puisse te croire intéressé ?

— J'ai surtout peur que nous ne soyons pas faits l'un pour l'autre, comme elle semble le penser. Rends-toi compte, non seulement elle ne distingue pas un guépard d'un jaguar, mais ça l'amuse et elle s'en vante !

— Je ne suis pas sûr de faire la différence non plus.

— Le jaguar est un grand félin, comme le léopard.

— Qui est… ?

— Une panthère !

Lorenzo se mit à rire et envoya une bourrade affectueuse à Valère.

— J'ai pris un mauvais exemple. Je voulais seulement dire qu'elle n'éprouve pas d'empathie ou d'émotion devant les animaux.

— Mais elle a soutenu ton projet dès le début.

— En fait, elle est persuadée de l'intérêt des parcs zoologiques, elle est pour la préservation des espèces menacées d'extinction, mais ça reste théorique, elle ne souhaite pas aller sur le terrain. C'est une citadine, elle aime les réunions, les bureaux, les commissions... Elle aime plaire, aussi. Elle a l'habitude que les hommes se retournent sur son passage, et elle ne s'habillera jamais avec le genre de tenue qui convient au parc, comme un blouson en polaire, un pantalon plein de poches et des bottes en caoutchouc !

— Si tout ça te fait rire, constata Valère, c'est que tu n'es pas très...

— Non, pas très, j'essaie de te l'expliquer. Et ne me fais surtout pas la morale, tu ne vaux pas mieux que moi, tu ne t'es attaché à personne, que je sache.

— Oh, il y a une grande différence entre toi et moi ! Plus grande qu'entre un guépard et un jaguar, à mon avis. Tu es toujours très attaché à qui tu sais, ne me dis pas le contraire, je ne te croirais pas.

Valère vit tout de suite qu'il avait contrarié Lorenzo.

— Bien, enchaîna-t-il, j'ai une autre nouvelle pour toi.

— Bonne ou mauvaise ?

— Tu vas la trouver... mitigée. Les parents débarquent !

— *Les* parents ? Les deux ? Ici ?

— Chez Anouk d'abord, ici ensuite. Sur une idée de maman.

— Oh, j'imagine volontiers que Xavier n'est pas à l'origine de cette visite !

— Sans doute pas, mais voilà un louable effort. Ne le reçois pas mal.

— Pour qui me prends-tu ? Je ne gâcherai pas le plaisir de maman. Tu seras là pour m'aider à les accueillir ?

— Impossible. Ils arrivent après-demain, et je dois rentrer à Paris aujourd'hui. Ma boîte n'est pas trop regardante sur mes jours de vacances, mais il y a quand même des limites. Est-ce que ça t'ennuie beaucoup que papa vienne ?

— Ça ne me gêne pas personnellement. Depuis le temps, je suis devenu insensible à ses réflexions, mais maman va devoir répliquer, argumenter, prendre ma défense, parce qu'il ne pourra pas s'empêcher de tout critiquer.

Ils étaient restés devant l'enclos des girafes pour discuter, et Valère désigna le girafon, qui avait tellement grandi depuis sa dernière visite et qui était occupé à manger des feuilles.

— Mon filleul ne m'a même pas reconnu, plaisanta-t-il. Mais Dieu qu'il est beau !

À regret, il se détourna et planta son regard dans celui de Lorenzo.

— Je reviendrai avec mon chef d'entreprise, sans doute à la fin du mois, et on parlera budget à ce moment-là.

— Tu t'es donné beaucoup de mal pour moi. Comment puis-je te remercier ?

— En continuant à réussir. Et n'essaie plus d'arrêter tout seul les voyous ou tu finiras défiguré !

Il embrassa son frère, jeta un dernier coup d'œil attendri au girafon et prit la direction de la sortie du parc. Il se sentait toujours un peu mélancolique en quittant cet endroit. Lorenzo en avait fait un lieu vraiment privilégié où la nature semblait avoir repris tous ses droits.

— Valère !

Au détour d'une allée, il venait de se retrouver nez à nez avec Julia. Elle n'avait pas vraiment changé : elle dégageait le même charme qu'à l'époque de sa liaison avec Lorenzo. Valère n'avait alors que quinze ans et il la trouvait sublime.

— Ça fait un bail ! dit-il platement.

— Oui, mais ce sont de bons souvenirs.

Malgré sa récente fausse couche, elle paraissait en forme. Il estima plus délicat de ne pas lui parler de ce drame, somme toute très personnel, et choisit de lui poser quelques questions sur son travail au parc.

— J'adore ! Je me suis vraiment épanouie ici. J'avais un *a priori* défavorable sur les zoos après avoir fait un remplacement à Vincennes, où j'ai découvert les animaux sauvages, ce qui a été une vraie révélation, mais où j'ai souffert pour eux du manque de place.

— C'est Paris, le terrain est rare.

— Oui, je sais bien, mais alors il faut faire des choix. Même si nous avons la chance de disposer de beaucoup d'espace dans ce parc, Lorenzo a imposé sa volonté d'avoir moins d'espèces et ainsi davantage de place pour chacun. Un pari risqué, parce que les gens en demandent toujours plus ; pourtant, ça fonctionne, la fréquentation est en hausse ! Je crois que le public comprend. Nous ne nous contentons pas de *montrer* des animaux dans des vitrines, nous leur offrons les meilleures conditions possible afin de faciliter leur reproduction.

Volubile, souriante, elle témoignait d'un enthousiasme indiscutable. Tout en bavardant, elle avait accompagné Valère jusqu'à la sortie du parc. Au-delà s'étendait le parking, quasiment désert.

— D'ici peu, il y aura des centaines de voitures ! prédit-elle joyeusement. Et tu sais quoi ? Je me demande toujours d'où sortent tous ces gens ! En fait, ils viennent de partout, de très loin…

Elle embrassa Valère, lui adressa un dernier sourire rayonnant puis repartit en hâte. Il la suivit des yeux, songeur. Cette femme était lumineuse, moins belle que Cécile, peut-être, mais avec quelque chose d'extraordinairement séduisant. Tant que Lorenzo travaillerait avec elle, qu'il la verrait tous les jours, il ne pourrait pas s'en détacher. De plus, ils parlaient tous les deux le même langage, partageaient la même passion pour la nature et les animaux sauvages, ce qui les rapprochait d'autant plus. Mais Julia était sur le point d'en épouser un autre, et pour Lorenzo la situation devait être intenable.

— À moins que…, marmonna Valère.

Il resta immobile encore une ou deux minutes, debout à côté de son Audi, perdu dans ses pensées.

7

Cécile s'était chargée de rédiger les communiqués de presse concernant la réouverture du parc. Comme elle possédait un solide carnet d'adresses, elle avait personnellement contacté tous les médias régionaux ainsi que quelques organes nationaux bien ciblés. L'événement était la nouvelle offre d'hébergement pour « des week-ends inoubliables au plus près de la vie sauvage ». Lorenzo avait jugé la formule exagérée et pompeuse, mais il avait laissé faire Cécile. Il était très occupé de son côté par la rédaction de certains panneaux explicatifs auxquels il souhaitait apporter des améliorations. Disposés près des enclos et destinés aux visiteurs, ces panneaux devaient être clairs, concis, didactiques. Lors d'une réunion avec tous les soigneurs, Lorenzo avait demandé à chacun des idées et des suggestions afin de décrire une espèce animale en quelques mots. Puis les textes définitifs avaient été confiés à l'un des employés chargés de la maintenance, qui allait les peindre. Lorenzo tenait à ce que tout, au long des allées, facilite et agrémente la visite. Il affirmait que personne ne devait quitter le parc sans avoir beaucoup appris, ni sans avoir pris conscience de la fragilité du vivant et de la nécessité de le préserver. Son perfectionnisme agaçait parfois Cécile, mais elle se gardait bien de le dire. Elle aurait préféré qu'il soit plus disponible pour elle, qu'il n'ait pas toujours un souci en tête ou un problème à régler. Néanmoins, elle l'aimait chaque jour davantage, et elle se sentait prise au piège car la réciproque n'était pas vraie. Si Lorenzo la désirait, se montrait toujours courtois avec elle, pensait même à lui offrir des fleurs ou du parfum de temps en temps, en revanche il ne s'investissait pas dans leur relation. Dès qu'elle essayait de créer plus d'intimité entre eux, il fuyait sous un prétexte ou un autre. Il était d'accord pour passer une ou deux nuits par semaine avec elle, mais jamais plus. Et bien sûr il n'avait que très rarement le temps de l'emmener au restaurant. Lorsqu'elle dormait chez lui, il lui préparait son petit déjeuner, mais il était systématiquement pressé de partir. Ses mots gentils ne semblaient pas vraiment ceux d'un homme épris, et parfois il ne l'écoutait pas, la tête manifestement ailleurs.

Cécile avait trop d'expérience, des hommes et de la vie, pour s'y tromper. Elle cherchait tous les moyens de le faire réagir ; cependant, elle devinait qu'il n'était pas quelqu'un qu'on pouvait manipuler. Le rendre jaloux n'était sûrement pas la bonne méthode, feindre l'indifférence non plus. Elle essayait de devenir indispensable, mais dès qu'elle prenait trop d'initiatives il la mettait à distance.

Par ailleurs, la présence de Julia inquiétait beaucoup Cécile. Le couple Marc-Julia battait de l'aile, ce que chacun voyait comme une conséquence de la malheureuse fausse couche ; pourtant, Cécile imaginait d'autres raisons. L'évidente complicité de Julia avec Lorenzo ne se limitait pas au travail. Dans les regards qu'ils échangeaient, dans leurs gestes affectueux, on lisait bien autre chose qu'une simple amitié. Un lien sentimental subsistait-il ? Un regret ? Pour lutter, Cécile savait qu'elle ne pouvait pas s'en prendre à Julia, ni même la critiquer, ce que Lorenzo n'aurait pas admis. Comment faire pour l'éloigner du parc alors qu'elle ne parlait plus de partir, ni même d'épouser Marc ?

Enfin, la nouvelle préoccupation de Cécile était l'arrivée de la mère et du beau-père de Lorenzo. Par courtoisie, il avait décidé de laisser sa maison à leur disposition. En conséquence, puisqu'il refusait d'accueillir Cécile dans son repaire du parc sous les toits, elle n'allait pas dormir avec lui durant plusieurs jours. Pire encore, elle avait eu l'idée de préparer la maison en faisant les lits et un grand ménage. Elle s'en était occupée le matin même après son départ, et elle le lui avait annoncé en le rejoignant au parc pour déjeuner. À son sourire crispé et à son remerciement du bout des lèvres, elle avait réalisé son erreur : Lorenzo ne souhaitait pas qu'elle se comporte comme sa compagne officielle – une constatation qui lui serra le cœur. Restait à voir sous quelle appellation il allait la présenter à sa famille. Un test important, d'après elle. Et elle se prenait à espérer que Julia ne soit pas dans les parages à ce moment-là, elle qui connaissait tout le monde depuis des années et qui ne manquerait sans doute pas de faire étalage de sa familiarité. Bien décidée à se battre, Cécile comptait se montrer sous son meilleur jour aux parents de Lorenzo, ou plus exactement à sa mère, puisqu'il y était très attaché. Mais serait-elle invitée à se joindre à eux pour un repas ou une visite du parc ? De quelle manière Lorenzo allait-il l'inclure dans cette réunion de famille ? Déjà, elle prenait beaucoup de libertés avec son travail pour se rendre disponible, et malgré tous les prétextes qu'elle trouvait, elle avait eu droit à quelques réflexions de ses supérieurs hiérarchiques. Elle passait trop de temps sur les routes, multipliant les allées et venues, ce qui lui faisait courir des risques et occasionnait de la fatigue. Lors d'une récente réunion au conseil régional, elle avait failli s'endormir ! Si sa relation avec Lorenzo n'évoluait pas vers un engagement plus sérieux, pourrait-elle continuer ainsi ?

Toutes ces questions sans réponse tournaient en boucle dans sa tête et l'angoissaient. Pour la première fois de sa vie, elle n'était pas maîtresse du jeu, elle attendait le bon vouloir de l'autre. Mais Lorenzo en valait la peine, de ça au moins elle était certaine.

*

Marc avait bien fait les choses, pourtant rien ne se passait comme prévu. D'abord, Julia était distraite : elle pensait sans cesse à Malika, la panthère noire, que Lorenzo avait opérée mais qui n'allait pas mieux et dépérissait. Comme elle était rentrée très tard du parc, le dîner s'était desséché à force d'attendre dans le four. Mais il y avait des bougies sur la table, et une bouteille de champagne dans un seau.

Un peu tendu, Marc s'était lancé dans un petit discours bien préparé. Il était temps pour eux deux de tourner la page, de rebondir. Fonder une famille avec Julia restait son vœu le plus cher, et pour y parvenir ils devaient prendre des décisions. Une date ferme pour leur mariage, trop longtemps reporté, ainsi qu'une discussion quant à leur avenir professionnel, afin de trouver l'endroit où tous deux allaient vivre et travailler.

— Nous ne restons pas ici ? finit-elle par demander, incrédule.

— Non, il nous faut un nouveau projet, rien qu'à nous. Une maison que nous choisirons ensemble, d'autres habitudes… Comme une page blanche que nous allons écrire à quatre mains !

Visiblement ému, il attendait une réponse qui ne vint pas. Le silence se prolongea, puis Julia murmura :

— Je n'ai pas du tout envie d'aller vivre ailleurs. Je croyais te l'avoir dit.

— Mais pourquoi ? On n'a pas l'âge de s'encroûter ! Ici c'est formidable, d'accord, mais il y a des années que j'y suis et je partirais bien vers de nouveaux horizons.

Elle marqua une pause avant d'articuler, en le regardant droit dans les yeux :

— Pas moi. Pas maintenant.

— Explique-toi !

— Le parc Delmonte possède une véritable philosophie, ce qui n'est pas forcément le cas partout ailleurs, tu le sais bien. Nous nous acharnons à travailler comme les meilleurs, Beauval, La Flèche, Thoiry et quelques autres. Les animaux qui se reproduisent chez nous ont bénéficié des meilleures conditions de vie possible. Lorenzo les respecte, il n'en tire pas profit.

— Lorenzo ! Il y avait longtemps que tu n'avais pas prononcé son nom ! Est-ce que tu réalises que tu parles tout le temps de lui, éperdue d'admiration ? Que ça me rend jaloux et que je m'engueule avec lui alors qu'avant ton arrivée nous étions amis ? Je ne supporte pas que ma femme en regarde un autre de cette façon, que…

— Je ne suis pas ta femme !

— Pourtant je te supplie de l'être !

Dressés l'un contre l'autre, ils se turent, ne voulant pas ajouter un mot, conscients que la scène était en train de dégénérer. Après un court silence, ce fut Marc qui osa poursuivre :

— Mais tu esquives, tu éludes. Quelque chose a changé entre nous, n'est-ce pas ?

Julia le dévisagea avec une expression triste qui ne présageait rien de bon.

— C'est vrai, admit-elle.

— À cause de cette malheureuse fausse couche ?

— Pas seulement. Je suis désolée, Marc…

Le regard de Julia glissa sur le couvert joliment dressé, les bougies dont la cire commençait à couler sur la nappe, les glaçons fondus dans le seau à champagne.

— J'ai l'air malin avec mon dîner d'amoureux ! maugréa-t-il.

Il avait pensé vivre une soirée spéciale, et elle l'était, mais pas dans le sens qu'il avait imaginé. À court de mots, il franchit les deux pas qui les séparaient, la prit par les épaules et l'attira à lui.

— Dis-moi ce qui se passe, Julia.

La bouche dans son cou, elle chuchota :

— Je crois que j'ai besoin de retrouver mon indépendance. Je ne suis pas sûre d'être faite pour la vie à deux. Pas encore.

— Pourtant, tu as voulu un enfant de moi.

— Si la grossesse s'était poursuivie jusqu'à son terme, les choses auraient été différentes. J'aurais été obligée de sauter le pas. Mais j'ai de nouveau le choix, et…

— Et tu te sens perdue ?

— Non, pas perdue. Triste, mais déterminée.

— À quoi ?

— À reprendre ma liberté. Je suis terriblement désolée, Marc.

Accablé par ce qu'il entendait, il se mit à la secouer.

— Qu'est-ce que tu racontes ? Tu veux rompre, me quitter, c'est ça ?

— Nous ne sommes pas faits l'un pour l'autre, essaya-t-elle d'argumenter.

— Tu plaisantes ? Nous partageons plein de choses ! L'amour des animaux et de la nature, le…

Il hésita, renonça. Serrant ses mains sur les épaules de Julia, il finit par lâcher :

— Soit tu m'aimes, soit tu ne m'aimes plus. C'est aussi simple que ça.

— Oh non, ce n'est pas si simple ! protesta-t-elle en se dégageant. Je me sens coupable, Marc ! Coupable de n'avoir pas pu mener à terme ma grossesse, coupable de ne pas te donner ce que tu attends de moi, coupable de...

Elle se tut de façon abrupte, comme si elle avait failli laisser échapper une confidence involontaire.

— Je suis un peu mal dans ma peau, acheva-t-elle.

— Et c'est moi qui en fais les frais ?

— Pardonne-moi, mais je vais partir.

— Où ça ?

— Je ne sais pas. À l'hôtel d'abord, et puis je louerai un truc.

— À l'hôtel ce soir, à cette heure ? Ne sois pas idiote. On peut passer une dernière nuit ensemble, non ?

— Non. Tu tenteras la réconciliation sur l'oreiller, mais quoi qu'il arrive demain matin nous en serons au même point, la rancune en plus.

— Tu ne veux même plus partager mon lit ? C'est fou... Bon, écoute, dors ici, je vais aller au parc, dans la chambre de repos des soigneurs, comme ça tu seras tranquille !

— Tu es chez toi, reste. Je vais y aller.

— Sûrement pas ! explosa-t-il.

Au parc, il y avait Lorenzo. Il y dormait tout le temps, et de façon encore plus certaine depuis l'arrivée de ses parents, auxquels il prêtait sa maison. Entendre arriver une voiture à dix heures du soir l'alerterait forcément : il irait à la rencontre de Julia, l'interrogerait, la consolerait... Pas question de créer ce moment d'intimité entre eux ! Pour éviter les protestations de Julia, il saisit son blouson et sortit en claquant la porte. Il n'en revenait pas d'en être arrivé là. Comment était-ce possible ? Un peu plus tôt, il attendait Julia, ajoutait des glaçons dans le seau à champagne, se réjouissait de lui faire une bonne surprise, s'impatientait. Il avait même prévu un petit calendrier pour marquer solennellement d'une croix la date qu'elle choisirait pour leur mariage. Au lieu de ça, elle lui avait assené qu'elle voulait *retrouver son indépendance*, *reprendre sa liberté* ! En somme, elle le quittait…

Sentant que sa vue se brouillait, il s'essuya les yeux d'un geste rageur. Perdre Julia lui était insupportable. Il se souvenait d'avoir longtemps hésité à la draguer, persuadé qu'une femme comme elle n'était pas pour lui, qu'elle risquait de le regarder de haut ; pourtant, elle avait accepté de sortir avec lui. Mieux encore, elle avait fini par vivre chez lui. Ils s'étaient mis à faire des projets ensemble, et un jour elle lui avait annoncé qu'elle attendait leur enfant. Hélas, cette grossesse ayant tourné au drame, non seulement il n'y aurait pas de bébé, mais il n'y aurait plus de Julia ! Tous les rêves de Marc resteraient à l'état d'illusions, illusions dont il s'était trop bercé.

Juste avant d'arriver au parc, il envoya un SMS à Lorenzo pour signaler sa présence. Il n'avait pas envie de le voir, encore moins de lui fournir une explication. Il gagna directement le local des soigneurs, où avait été aménagée une pièce de repos avec des lits et une douche. Dans cet endroit confortable, il avait parfois passé des nuits blanches en attendant une naissance ou en surveillant un animal malade – et plus récemment dormi quelques heures entre deux tours de garde, avant l'installation des caméras et des systèmes d'alarme.

Il alla jeter un coup d'œil dans le réfrigérateur, où chacun pouvait entreposer des denrées ou des boissons.

En principe, c'était Bénédicte qui gérait le stock et veillait à ce que personne ne soit lésé. Il prit une bière, qu'il décapsula sans conviction, s'apercevant qu'il n'avait ni faim ni soif. Quand son portable se mit soudain à vibrer, l'espace d'une seconde, le cœur battant, il crut à un message de Julia ; mais ce n'était que Lorenzo, qui répondait à son texto pour lui souhaiter une bonne nuit. Au moins, il ne le bombardait pas de questions !

Assis au bord d'un des lits, la tête entre les mains et la cannette posée par terre à ses pieds, il se demanda ce qu'il allait devenir. Il ne pouvait pas rester au parc et croiser Julia tous les jours. La voir rire avec Lorenzo, par exemple. Lorenzo avec qui il aurait du mal à travailler dorénavant. Même s'il s'était fait de fausses idées sur la relation unissant Julia et Lorenzo, avoir sous les yeux leur fichue complicité serait une torture. Et puis, étaient-elles si fausses que ça, ses idées ? Oh, bien sûr, rien de concret, ces deux-là étaient des gens bien, pas des hypocrites se cachant dans les coins ! Mais peut-être, malgré tout, étaient-ils encore attirés l'un par l'autre ? Alors... C'était à lui, Marc, de s'effacer ?

Il donna un coup de pied dans la cannette, qui roula un peu plus loin, répandant son contenu sur le carrelage.

— Et merde...

Résigné, il se releva pour aller chercher une serpillière. La fatigue et le chagrin se faisaient sentir, anesthésiant sa fureur. Julia avait très justement souligné qu'il n'y avait pas que de *bons* parcs zoologiques, et il avait en tête la liste précise des endroits où il pourrait postuler. Loin d'ici. Lorenzo appuierait sa candidature, il en était certain. Après tout, il était un très bon chef animalier, il savait gérer des équipes, prendre des initiatives, coopérer avec les vétérinaires. Mais par définition, les places de chef étaient rares. Ainsi, sa vie sentimentale était en ruine et son avenir professionnel incertain. Quelle belle soirée il était en train de vivre !

Il s'allongea tout habillé, bien décidé à penser à autre chose. Ce qui était évidemment impossible.

*

Maude rayonnait. Elle s'était d'abord alarmée devant la cicatrice qui barrait le visage de Lorenzo, mais il l'avait rassurée en plaisantant et elle avait fini par conclure que ça donnait à son fils un charme supplémentaire. Xavier, pour sa part, n'avait fait aucun commentaire. Il regardait autour de lui en essayant de prendre un air indifférent, néanmoins on devinait qu'il était bluffé par l'importance de ce parc qu'il ne s'était jamais donné la peine de visiter. Sans doute ne l'avait-il pas imaginé aussi vaste, aussi ordonné, aussi accueillant.

— Vous aurez tout le temps de vous promener demain, suggéra Lorenzo. Il y a beaucoup de choses à voir.

— Montre-nous au moins tes petites maisons de bois, réclama Maude. Valère nous en a parlé et j'ai hâte de les découvrir !

Plus elle manifestait sa joie et plus Xavier se renfrognait, mais Lorenzo l'ignora et s'adressa à sa mère :

— Je vous y conduis dans une des voitures de service ?

— Non, intervint Xavier, marcher nous fera du bien. Nous avons trop mangé chez Anouk ! Il faut dire que c'est délicieux, je suis très fier d'elle ! Tu connais le restaurant de ta sœur, Laurent ?

— Évidemment. Nous ne sommes pas trop loin l'un de l'autre, on se rend visite.

— Elle ne doit pas avoir beaucoup de temps, la pauvre ! Elle travaille dur.

— Moi aussi.

Ils échangèrent un regard, mais Xavier céda le premier en se détournant. Lorenzo en profita pour sourire à sa mère et la prendre par le bras.

— Allons-y. J'espère que la décoration intérieure te plaira, j'ai dû décider tout seul des moindres détails, alors je suis resté très sobre, très classique.

— Façon « ma cabane au Canada » ? gloussa Xavier.

Lorenzo ne se donna pas la peine de lui répondre. Il ne voulait pas déclencher les hostilités, allant jusqu'à espérer que certaines choses, dans le parc, pourraient plaire à Xavier. Mais même si c'était le cas, le montrerait-il ? À quand remontait le dernier compliment qu'il ait adressé à son beau-fils ?

Comme les petites maisons se trouvaient à l'écart, ils durent marcher un moment pour les atteindre. Maude et Lorenzo bavardaient tandis que Xavier les suivait en silence. Les mains dans les poches, il tournait la tête à gauche et à droite, s'arrêtait pour lire les panneaux quand il en rencontrait, ralentissait un peu le pas s'il apercevait un animal, mais il ne posait aucune question.

Alors qu'ils croisaient l'allée principale et étaient sur le point de s'engager dans un petit bois, Lorenzo entendit qu'on le hélait. Avec un certain déplaisir, il vit Cécile qui se hâtait vers eux. Elle s'arrêta à côté de lui, souriante, charmante.

— On m'a dit que tu étais en compagnie de tes parents et je n'ai pas voulu te biper, expliqua-t-elle, mais j'ai une bonne nouvelle et j'étais impatiente de te l'apprendre !

En imposant sa présence, elle obligeait Lorenzo à faire les présentations.

— Cécile, une amie, annonça-t-il. Maude, ma mère, et Xavier, mon beau-père.

— Enchantée ! Lorenzo parle beaucoup de vous, je suis ravie de vous rencontrer.

Elle n'avait pas dû apprécier le terme vague dont il s'était servi. Être une simple « amie » ne lui conférait aucun avantage, et elle se dépêcha d'ajouter :

— Vous avez déjà déposé vos bagages à la maison ? J'espère que vous ne manquerez de rien, il y a tout ce qu'il faut pour le petit déjeuner, j'y ai veillé !

Sa manière de présenter les choses déplut à Lorenzo, mais, ne voulant pas la vexer, il préféra se taire. Maude semblait sous le charme de la jeune femme, et même Xavier affichait une expression aimable.

— Cette nouvelle ? s'enquit Lorenzo d'un ton plus sec qu'il ne l'aurait voulu.

— Le dossier du parc a été réexaminé en commission et le verdict vient de tomber : ta subvention est reconduite !

S'adressant directement à Maude, elle précisa :

— Je travaille pour le conseil régional.

— Tu dépends des subventions ? interrogea Xavier.

Sa petite moue ironique acheva d'exaspérer Lorenzo.

— Pas uniquement, non ! Mais je suis heureux que la Région ait pris le parc en considération comme un enjeu touristique et écologique. Nous ne…

Son talkie-walkie se mit à biper, et il réprima un geste de colère en le saisissant. La voix de Marc se fit entendre clairement :

— Tu peux venir tout de suite chez les panthères ? Malika ne va pas bien du tout.

— D'accord, j'arrive. Tu as prévenu Julia ? On aura peut-être besoin d'être deux.

— C'est fait, elle nous rejoint.

En tant que chef animalier, Marc avait dû être averti par Dorothée, et une fois sur place il avait estimé nécessaire de contacter les vétérinaires. L'animal présentait donc un vrai problème.

— Je file, continuez sans moi ! lança-t-il.

Maude, émue de le découvrir dans son rôle, le suivit des yeux en soupirant :

— Toutes ces responsabilités qu'il assume…

— Et bien d'autres, affirma Cécile. La direction du parc est déjà une très lourde charge, et son travail de vétérinaire lui prend presque tout son temps.

— Il n'est pas tout seul, je suppose ? demanda Xavier, sortant de son mutisme.

Sa question donnait à Cécile l'occasion de rester avec les parents de Lorenzo, de leur servir de guide et de s'octroyer ainsi la place que son amant n'avait pas voulu lui donner. Elle se lança aussitôt dans des explications.

— Il y a plusieurs vétérinaires ici, répondit-elle. Deux à plein temps et un à temps partiel. Les accouplements, les naissances, l'arrivée de nouveaux pensionnaires qui doivent s'acclimater, les bagarres, les maladies : ils ont fort à faire !

Elle n'avait pas eu envie de nommer Julia, ne voulait même pas penser à elle.

— Suivez-moi, je vous emmène voir les maisons, dit-elle joyeusement.

La rencontre se passait mieux que prévu : elle allait pouvoir sympathiser avec Maude et Xavier.

*

Lorenzo avait pris la décision d'endormir la panthère, mais vu son état de faiblesse il n'avait utilisé qu'une demi-dose d'anesthésiant.

— Tu es sûr qu'elle ne va pas se réveiller ?

Agenouillés près de l'animal, Julia et Lorenzo parlaient à voix basse.

— Je ne crois pas…

Ils avaient pris le risque d'entrer dans son box pour pouvoir l'ausculter au plus vite. Marc surveillait les yeux et les babines pour guetter le moindre signe de conscience, mais Malika était inerte.

— J'ai un rythme faible et désordonné, annonça Lorenzo en se débarrassant de son stéthoscope. On va lui faire tout de suite une injection pour soutenir le cœur.

Il désigna la trousse ouverte, posée à même la paille du box. Julia choisit une ampoule, la cassa, fit passer le liquide dans une seringue et effectua la piqûre.

— Comment a-t-elle pu s'enfoncer aussi vite ?

— Elle n'est pas toute jeune, soupira Lorenzo.

Malika avait été l'un des premiers animaux qu'il avait accueillis dans son parc. Elle fascinait les visiteurs avec ses superbes yeux verts, sa démarche de chat paresseux, ses feulements menaçants. Mais elle avait collectionné les soucis de santé ces derniers temps, et malgré les efforts de Dorothée et des autres soigneurs elle ne mangeait plus.

— Elle a beaucoup maigri, constata Julia. Son infection est repartie dès qu'on a arrêté les antibiotiques, son poil est tout terne… Tu crois qu'on peut la sauver ?

— Je ne suis pas sûr qu'on le doive.

— Quel est son âge exact ? Quatorze ?

— Quinze. Dans la nature, elle serait déjà morte. En captivité, elle aurait pu vivre encore deux ou trois ans.

L'utilisation d'un conditionnel passé révélait les intentions de Lorenzo. Il ne laisserait pas souffrir inutilement un animal qu'il n'était pas en mesure de guérir. Il jeta un coup d'œil à sa montre, reprit son stéthoscope.

— Pas d'amélioration, déclara-t-il.

Ils patientèrent encore un peu, se sentant impuissants l'un et l'autre.

— En principe, je devrais lui administrer l'antidote pour la réveiller maintenant puisque je ne peux rien faire de plus pour elle. Mais…

Comme pour le consulter, il leva la tête vers Marc, qui murmura :

— Elle est dans un sale état.

Puis il se tourna vers Dorothée, qui attendait, les larmes aux yeux. Voyant que Lorenzo souhaitait qu'elle donne son avis, la jeune femme finit par déclarer, d'une voix étranglée :

— Si vous n'avez aucun espoir d'amélioration, faites pour le mieux.

Lorenzo posa une main sur la tête de la panthère et se mit à la caresser doucement, presque tendrement.

— Depuis ton arrivée, tu m'as porté chance, ma belle. Tu as été l'un de nos atouts, des gens venaient rien que pour toi. Aujourd'hui, je ne veux pas que tu subisses une lente agonie, que tu te traînes, que tu souffres, et je n'ai plus de solution pour toi. Je le regrette tellement !

Il parlait tout bas, rien que pour lui-même et l'animal.

— On a fait du chemin ensemble, hein ? J'espère que tu n'as pas été trop malheureuse ici, mais tu étais bien loin de chez toi…

De sa main libre, il fit signe à Julia d'ausculter Malika à son tour. Déplaçant à plusieurs reprises le pavillon de son stéthoscope, elle écouta longuement le rythme cardiaque et le murmure respiratoire.

— Elle est en train de partir, chuchota-t-elle enfin.

— Je sais. Je le sens.

Il continuait à caresser la tête de Malika d'un geste lent, les yeux rivés sur ses flancs. Au bout d'un moment qui parut à chacun une éternité, Lorenzo annonça que c'était fini. Dorothée éclata en sanglots et sortit du box en courant.

— Et merde ! lâcha Marc, qui recula de quelques pas pour donner un violent coup de poing dans la paroi du box.

Julia et Lorenzo, toujours agenouillés de part et d'autre de la panthère, échangèrent un long regard. Aussi émus l'un que l'autre, ils se comprenaient parfaitement.

— Tu n'as pas eu à l'euthanasier, souffla Julia.

— L'anesthésie a suffi pour la faire basculer.

— Sans souffrir.

— Oui.

Ils ne se quittaient pas des yeux, cherchant un mutuel réconfort et oubliant la présence de Marc. L'émotion ressentie les rapprochait, les unissait.

— Je ramasse le matériel, annonça Marc.

Julia et Lorenzo se relevèrent ensemble, un peu engourdis d'être restés longtemps agenouillés. Des soigneurs, sans doute alertés par Dorothée, se tenaient dans l'allée. Ils connaissaient la procédure pour évacuer la dépouille d'un animal, nettoyer et désinfecter le box, et ils ne laisseraient pas leur collègue accomplir ce pénible travail.

Une fois à l'extérieur du bâtiment, Lorenzo informa Julia de l'arrivée de ses parents.

— Si tu veux leur dire bonjour, ils doivent se trouver près des petites maisons, qu'ils avaient l'intention de visiter. Enfin, surtout maman !

Le charme était rompu, ils redevenaient de simples amis, mais tous deux étaient parfaitement conscients d'avoir vécu un instant d'irrésistible attirance. Pour ne pas laisser s'installer un malaise, Lorenzo évoqua le remplacement de Malika, solitaire comme toutes les panthères, et dont l'enclos était désormais vacant.

— J'ai reçu la proposition d'un zoo autrichien concernant un jaguar noir. Un jeune mâle qui leur pose un problème de consanguinité pour la reproduction. J'avais réservé ma réponse jusque-là, mais maintenant je vais accepter. Qu'en penses-tu ?

— C'est gros, non ?

— Celui-là pèse déjà quatre-vingt-dix kilos. Il s'appelle Tomahawk.

— Il aura assez de place ?

— On peut agrandir l'enclos côté sud, on a là un bout de terrain qui ne sert à rien.

— Dans ce cas, qu'il soit le bienvenu !

— Dorothée sera contente. Je lui en parlerai demain. Aujourd'hui, mieux vaut la laisser tranquille.

Parvenu devant les petites maisons, Lorenzo eut la désagréable surprise de constater non seulement que Cécile était toujours là, mais aussi qu'elle semblait avoir conquis Maude et Xavier.

— Cécile a eu une idée formidable ! s'exclama Maude après avoir embrassé distraitement Julia. Puisque le parc n'ouvre qu'après-demain, peut-être pourrions-nous profiter ce soir d'une de tes jolies maisons ? Comme ça, on ne vous dérangerait pas chez vous et on aurait l'impression de dormir dans la jungle ! Et, tu peux compter sur moi, je laisserai tout dans un état impeccable.

Lorenzo ne retint que deux des mots de sa mère, ce « chez vous » qui semblait le lier définitivement à Cécile.

— Eh bien… Si tu veux, oui.

— Ce sera un bon test ! s'enthousiasma Cécile.

— À condition de respecter les normes de sécurité qui sont affichées là.

Il désignait un tableau accroché en évidence juste à côté de la large baie vitrée. Xavier y jeta un coup d'œil et hocha la tête.

— Rien de bien compliqué, déclara-t-il d'un ton moqueur.

— En effet, rien, mais il faut s'y tenir, intervint Julia.

Manifestement, Maude ne s'intéressait qu'à Cécile, qu'elle considérait avec bienveillance, sans doute heureuse que son fils ait désormais une si charmante jeune femme pour compagne. Dix ans plus tôt, c'était Julia qu'elle regardait de cette façon, mais aujourd'hui Julia ne comptait plus.

— Au fait, voulut savoir Cécile, pas trop grave, ton urgence de tout à l'heure ?

Sa désinvolture consterna Lorenzo.

— Nous n'avons pas pu sauver un animal que nous aimions beaucoup, répondit-il sèchement.

Il avait inclus Julia dans son propos et il vit Cécile pincer les lèvres, ce qui le laissa indifférent. Les instants vécus un peu plus tôt avec Julia l'avaient bouleversé, désemparé. Ensemble, ils n'avaient pas seulement partagé une responsabilité professionnelle et une émotion : il s'était produit quelque chose de très fort entre eux.

— J'ai encore pas mal de travail, annonça-t-il. Maman, Xavier, je vous laisse visiter le parc à votre rythme. N'hésitez pas à demander des explications aux soigneurs que vous croiserez. Viens avec moi, Julia, je voudrais te montrer le dossier de ce jaguar noir.

Ayant remarqué l'accueil mitigé que sa mère avait réservé à Julia, il préférait ne pas la laisser avec sa famille. Cécile hésita, mais sans doute estimait-elle avoir suffisamment conquis les parents de Lorenzo, car elle le suivit.

— Que fait-on ce soir ? demanda-t-elle en le prenant par le bras et en ignorant Julia.

Excédé, fatigué, Lorenzo s'écarta d'elle. Il se sentait près de faire un esclandre, mais il se domina.

— Rien de spécial. Je vais demander à Adrien de quoi improviser un pique-nique, il a commencé à faire des réserves et il doit avoir des tas de trucs. Je dînerai avec eux vite fait, je veux me coucher tôt.

Prodigieusement vexée, Cécile ne protesta pourtant pas, retenue par la présence de Julia. Elle resta silencieuse jusqu'à ce qu'ils parviennent devant les bâtiments de l'administration.

— Eh bien, à demain ! lança-t-elle.

Sans un regard pour Lorenzo, elle partit à grandes enjambées vers sa voiture.

— Je crois que tu l'as contrariée, chuchota Julia.

— Elle m'en demande trop, et trop vite. Nous ne sommes pas mariés, nous ne vivons même pas ensemble, son comportement de propriétaire me dérange.

— Propriétaire ? Parce que, d'après toi, quand on vit ensemble on devient la propriété de l'autre ?

Faisait-elle référence au couple qu'elle formait avec Marc ? Lorenzo ébaucha un sourire mais n'eut pas le temps de répondre, car Dorothée et Marc remontaient l'allée dans leur direction.

— Pour Malika, tout est en ordre, annonça la jeune femme.

Elle avait les yeux gonflés, mais sa voix ne tremblait pas. Les soigneurs savaient pertinemment qu'ils ne devaient pas trop s'attacher aux animaux dont ils s'occupaient, ceux-ci pouvant à tout moment être transférés dans un autre parc ; toutefois il y avait quelques exceptions, et Malika en avait fait partie.

— Vous tombez bien, tous les deux, j'allais montrer à Julia des photos de notre prochain pensionnaire, un superbe jaguar noir. Vous voulez les voir ?

Pour Dorothée, c'était un bon dérivatif, et tout de suite elle demanda :

— Vraiment noir ?

— Vraiment. Même si on distingue toujours un peu les taches sous le noir.

— C'est une sous-espèce ?

— Pas du tout ! Son pelage est le résultat d'une anomalie génétique dominante. Comme celui de la panthère noire, d'ailleurs. Mais le jaguar est bien plus lourd, plus massif. En revanche, il est tout aussi solitaire, en dehors de la saison des amours.

— Il se reproduira ?

— Nous essaierons de lui présenter une femelle en temps voulu.

— Ça nous promet de grands moments ! prédit Julia.

Ils furent pris d'un rire en songeant à toutes les frayeurs qu'ils avaient pu vivre lors de la première mise en contact d'animaux susceptibles de se plaire ou au contraire de se battre sans que quiconque puisse intervenir.

Installés devant un grand écran, dans la partie salon réservée aux visiteurs de marque, ils étudièrent ensemble le dossier de Tomahawk. Lorenzo remarqua que Marc s'était assis loin de Julia et qu'il semblait un peu distrait, mais il s'extasia bruyamment devant la première photo du jaguar noir.

*

— Des subventions ! Tu m'en diras tant ! Si je comprends bien, Laurent fait marcher son parc avec l'argent du contribuable. Ce qui prouve bien qu'il ne peut pas se débrouiller tout seul.

Xavier avait attendu le départ de Lorenzo, après leur dîner improvisé, pour se livrer à des commentaires acides, qu'il réservait à sa femme.

— Pas du tout, répliqua Maude, ça prouve surtout que son action est assez intéressante pour être soutenue par l'État.

— L'intérêt des bébêtes ? Ne me fais pas rire ! À quoi ça sert, au juste, une panthère ? Un éléphant ? En quoi ça améliore notre existence ?

— Si tu vas par là, plein de choses peuvent disparaître.

— Eh bien, non ! Pas les abeilles, donc pas les fleurs. Pas les arbres, qui nous rendent le service de pomper le gaz carbonique pour nous restituer de l'oxygène. Tout ça, d'accord. Mais le panda ou le kangourou ? Franchement…

Il éclata d'un rire cynique qui énerva Maude.

— Nous avions passé une bonne soirée, pourquoi faut-il que tu deviennes désagréable ?

— J'ai laissé parler Laurent sans le contredire, tu devrais être contente. Mais je n'en pense pas moins. Tout ce cinéma qu'il fait ! Et patati et patata, les espèces en danger, sauver la planète… Résultat des courses ? Il a monté une affaire qui n'est pas rentable. Sauf qu'il a valorisé les hectares en friche de son grand-père qui ne valaient pas un kopeck, somme toute un intérêt très personnel qui ne concerne nullement la planète mais seulement le patrimoine de Laurent Delmonte.

— Tu dis n'importe quoi. Tu sais très bien qu'il a une véritable vocation. Sa passion pour les animaux lui a fait faire de très belles études qui lui ont permis par la suite d'aller au bout de ses rêves. Ce n'est pas donné à tout le monde.

— À qui fais-tu allusion, là ? À *nos* enfants ? Ta préférence pour Laurent est évidente, l'a toujours été, alors espérons que les autres ne s'en rendent pas compte, ils pourraient en souffrir !

— Sûrement pas. Valère adore Lorenzo, il n'hésite jamais à prendre sa défense.

— Le défendre contre qui ? Je ne l'ai pas maltraité, que je sache !

— Tu l'as mis à l'écart.

— Pour que les autres existent.

— Non. La raison est que… tu voulais occulter mon passé.

Qu'elle ait été une épouse et une mère avant de le connaître l'avait rendu jaloux du fantôme de Claudio dès le début. En allant régulièrement voir son grand-père en Italie, Lorenzo l'avait empêché d'oublier.

— Xavier, dit-elle plus doucement, ne nous disputons pas, s'il te plaît.

Elle s'était promis d'éviter les affrontements pour profiter pleinement de son séjour, et elle devait désamorcer ce nouveau conflit. Mais ils se querellaient de plus en plus souvent au sujet de Lorenzo, comme si sa réussite augmentait l'amertume de Xavier.

— Je me demande pourquoi j'ai accepté de te suivre ici, bougonna-t-il. Et qu'allons-nous faire, demain ? Nous promener encore et encore pour apercevoir un bestiau ici ou là ?

— Tu changeras d'avis quand tu verras un tigre de près.

— Mais je m'en fous pas mal ! Je préférerais regarder un bon documentaire à la télé. À la rigueur, je comprends l'intérêt des réserves où la faune sauvage peut vivre à sa guise. C'est ça, la nature, non ? Ici, tout est faux, en trompe l'œil, comme au théâtre. Le ticket d'entrée sert à payer des gens qui sont en réalité des gardiens de prison.

Sa virulence attristait Maude sans la convaincre.

— Tu oublies l'intérêt pédagogique. Dans ce parc, les enfants s'émerveillent devant un monde extraordinaire qu'ils auront à cœur de préserver quand ils seront adultes. Ce sera pour eux une prise de conscience. Que des espèces disparaissent chaque jour est une catastrophe qui menace l'équilibre même de la Terre. L'humain est destructeur, pas les animaux.

— Ah bon ? Ils tuent pour manger, et nous aussi !

— Pas seulement. On tue aussi par goût et par bêtise. Mais je ne veux pas polémiquer avec toi, tu es de trop mauvaise foi. Et sois gentil de ne pas me gâcher mon plaisir, parce que je suis très heureuse d'être ici et que je compte bien en profiter.

— Profites-en si ça te chante, moi je suis pressé de rentrer chez nous.

— Il ne fallait pas venir. J'ai bêtement cru que ça pourrait t'intéresser, que tu reviendrais sur ton jugement. J'ai même espéré que tu dirais enfin un mot gentil à Lorenzo, que tu le féliciterais pour tout le travail qu'il a accompli ici.

— Avec des subventions probablement obtenues grâce à sa copine, des sponsors obligeamment trouvés par son frère, et le vent en poupe avec la vogue écolo, je pense qu'il n'a pas besoin de beaucoup travailler !

Maude le toisa, furieuse, avant de lâcher :

— Je te savais injuste, partial et buté, mais je ne te croyais pas stupide. Ce parc est une formidable réussite, que tu l'admettes ou non.

— « Stupide » ? Parce que je ne me prosterne pas devant ton fils ? Tiens, je ne veux pas entendre un mot de plus, je vais prendre l'air !

Il sortit de la maison en claquant la porte, ignorant les protestations de Maude. Le froid était piquant et il n'avait pas eu le temps de prendre son manteau, mais il avait besoin de respirer et de se calmer. Pourquoi s'était-il emporté de la sorte, au point de proférer des insanités ? Il devait bien reconnaître que, au fond de lui, il avait été impressionné par tout ce qu'il avait vu depuis son arrivée. Le parc Delmonte n'était pas tel qu'il se l'était représenté. Il était plus vaste, plus aéré, plus accueillant. Les enfants, comme les adultes, avaient de quoi être conquis. Les panneaux qu'il avait lus étaient bien rédigés, les animaux aperçus étaient tous fascinants. Pourquoi ne pas l'avoir dit à voix haute ? Maude aurait été si contente ! Mais justement, il ne voulait pas lui concéder cette victoire qu'elle attendait comme un dû. Oui, la réussite de Lorenzo l'agaçait, surtout quand il pensait à Valère, qui ne semblait pas vouloir assumer un destin particulier et qui ne vibrait que pour les belles voitures et les jolies filles. Certes, Valère gagnait de l'argent, mais Xavier aurait été incapable d'expliquer en quoi consistait l'activité de son fils au sein d'une « boîte de conseil ». Rien de grandiose là-dedans.

Il frissonna et croisa les bras pour se réchauffer, puis il fit quelques pas. En principe, il ne devait ni sortir de la maison ni, surtout, s'en éloigner, mais il ne croyait pas à un quelconque danger. Il était peu probable que des lions ou des tigres soient laissés en liberté pour divertir les touristes ! Les consignes de sécurité étaient là pour faire courir un petit frisson de peur dans leur dos, leur donner l'impression de vivre une authentique aventure.

La nuit était claire, il allait faire froid le lendemain. Xavier leva les yeux et observa la pleine lune, sur laquelle aucun nuage ne passait. Autour de lui régnait un complet silence auquel, en bon Parisien, il n'était pas habitué. Il décida de rester encore une ou deux minutes, pour bien prouver à Maude que leur discussion l'avait fâché. Quand elle avait évoqué son lointain passé, il s'était senti coupable car, en effet, il avait tout fait pour qu'elle oublie Claudio et les années vécues en Italie. Hélas Lorenzo était bien là, comme un rappel permanent, et, oui, il avait détesté ce gamin. Un sentiment méprisable qui ne l'honorait pas et qu'il avait tenté de dissimuler, sans grand succès finalement.

Un craquement le fit sursauter. Perdu dans ses pensées, il avait continué de scruter la Lune et il baissa la tête. Son regard parcourut les alentours avant de s'arrêter sur une silhouette massive et immobile. Retenant sa respiration, il eut l'impression que son cœur ratait un battement. À quelques pas de lui, la silhouette bougea, et il dut se retenir de crier en comprenant qu'il s'agissait d'un ours. La lumière de la maison l'avait-elle attiré ? Mais non, ce n'était pas un papillon de nuit ! Il venait pour la nourriture, ou pire encore. Xavier hésitait sur la conduite à tenir, le souffle court. Des tas de formules entendues ici ou là lui traversaient l'esprit. *Ne pas bouger. Ne pas courir. Ne pas reculer. Faire le mort…* L'ours abandonna soudain la position debout pour retomber sur ses quatre pattes. Il s'agissait probablement d'un de ces gros ours noirs aperçus dans l'après-midi, lorsqu'ils avaient longé un vaste territoire entièrement clos. Sauf qu'à présent l'ours était en liberté. Une bête capable de courir, de nager ou de grimper, armée de longues griffes acérées et d'une mâchoire puissante. Omnivore, donc ne négligeant pas la viande. Toutefois, il ne devait pas être affamé. Peut-être même pas agressif.

L'animal émit un long grognement sourd qui, dans le silence de la nuit, parut terrifiant. Il ne bougeait pas, la tête tournée vers Xavier, qui se liquéfiait. Entre eux, la distance n'était que d'une douzaine de mètres, autant dire nulle. Mais la porte de la maison étant toute proche, n'était-il pas possible de l'atteindre en une fraction de seconde ?

Toujours immobile comme une statue, Xavier n'arrivait plus à réfléchir. Quand l'ours fit quelques pas vers lui, la terreur le submergea et il ouvrit la bouche pour hurler sans qu'aucun son ne sorte. L'ours, de sa démarche tranquille, fit demi-tour et regagna le sous-bois d'où il devait venir. Le soulagement envahit Xavier si brutalement qu'il chancela. N'osant pas encore croire à sa chance, il recula jusqu'à la maison, chercha à tâtons, dans son dos, la poignée de la porte et l'ouvrit à la volée. Il s'engouffra à l'intérieur, referma et s'adossa au battant, hors d'haleine.

— Mon Dieu, Maude…

Sa femme, occupée à ranger, le considéra avec curiosité.

— Qu'est-ce qui t'arrive ?

— Je viens de me retrouver face à face avec un ours !

— Quoi ?

— Un ours noir, énorme ! Là, dehors, tranquille, chez lui !

D'abord sidérée, Maude finit par lever les yeux au ciel.

— Mais bien sûr qu'il est chez lui ! C'est tout l'intérêt de ces bungalows, figure-toi. Voir évoluer des animaux à travers les baies vitrées. Et ne pas sortir ! À quoi sert ce panneau de mise en garde, d'après toi ? À faire joli, à faire peur ? In-ter-dic-tion de sortir !

— Je n'y ai plus pensé, avoua-t-il piteusement, j'étais en colère.

— Xavier, je ne te reconnais pas. Tu es pourtant un homme posé, responsable…

Elle le rejoignit et passa les bras autour de son cou.

— Tu as eu peur ?

— Très peur, admit-il. Il était tout proche, il n'avait que deux foulées à faire pour me tomber dessus et m'étriper !

— Peu probable. Lorenzo m'a expliqué qu'ils sont très bien nourris.

— Alors pourquoi s'est-il autant approché de la maison ?

— Justement pour ça. Les soigneurs disposent des friandises pour eux à proximité. Comme ça, les gens peuvent les regarder. C'est tout l'intérêt.

— Pour ceux qui aiment les sensations fortes, peut-être.

— Non, pour ceux qui veulent les voir en vrai, pas en photo.

Elle lâcha son mari, s'approcha de la baie et mit ses mains en œillères pour scruter l'extérieur.

— Tu crois qu'il est encore là ? J'aimerais au moins l'apercevoir !

— Pas moi, j'ai eu ma dose. En revanche, je boirais bien quelque chose.

— Il reste un peu de vin, si tu veux.

Elle actionna l'interrupteur qui commandait trois lanternes au-dehors.

— On a le droit d'allumer, précisa-t-elle.

Xavier vida le fond de la bouteille dans un verre et le but d'un trait. Il n'avait aucune envie de revoir cet ours, même à travers une vitre de sécurité.

— En tout cas, l'endroit tient ses promesses, les gens vont apprécier, finit-il par dire.

Maude se retourna, médusée. Une phrase qui ressemblait à un compliment ? Était-il possible que Xavier abandonne un peu de son agressivité ?

— Je vais me coucher, je suis crevé, annonça-t-il.

Elle se serait bien attardée pour continuer à guetter l'ours, mais elle jugea plus habile de le suivre.

— Tu as raison, moi aussi, dit-elle gaiement.

La journée du lendemain s'annonçait sous de bons auspices si Xavier réussissait à dire quelque chose d'aimable à Lorenzo. Réconcilier son mari et son fils aîné était le vœu le plus cher de Maude ; néanmoins, elle ne devait pas s'emballer, trente ans de mésentente n'allaient pas s'effacer d'un coup.

Alors qu'elle s'apprêtait à éteindre les lumières extérieures, elle aperçut enfin la silhouette massive de l'ours noir, qui était revenu. À moins qu'il ne soit jamais parti. Lorsqu'il se mit debout et commença à frotter son dos contre un tronc d'arbre, Maude resta bouche bée devant le spectacle. En regardant cet animal magnifique, impressionnant, libre de ses mouvements, elle comprit clairement les motivations de Lorenzo : il était prêt à consacrer toute sa vie à ce parc, et elle ne pouvait que lui donner raison. Elle aurait voulu l'aider davantage et le soutenir au lieu d'être bloquée à Paris, où elle ne faisait rien d'intéressant. Mais elle devait rester auprès de son mari, elle le savait, même si elle trouvait son existence plutôt morne.

Quelques instants plus tard, l'ours se laissa retomber sur ses pattes. Il balança sa grosse tête à droite et à gauche puis s'éloigna entre les arbres et se fondit dans l'obscurité. Avec un long soupir de regret, Maude éteignit enfin.

8

— Si tu entends parler d'un truc à louer, pense à me le signaler, demanda Julia en lâchant le tamarin qu'elle venait de vacciner.

— Tu veux dire un logement ? s'étonna Lorenzo.

Ils en avaient fini avec les petits primates, mais un lourd programme les attendait ce matin-là.

— J'ai quitté Marc, annonça-t-elle.

Lorenzo lui jeta un coup d'œil surpris. Il avait bien retenu ses confidences au sujet des désaccords qui l'opposaient à Marc, mais il ne s'attendait pas à ce qu'elle tranche dans le vif aussi rapidement. En tout cas, il avait l'explication de la présence nocturne de Marc.

— C'est pour ça qu'il vient dormir ici ?

— Il a refusé que je prenne une chambre d'hôtel. Pourtant c'est à moi de partir, il est chez lui. Comme je ne veux pas que la situation s'éternise, je suis prête à louer n'importe quel logement, même moche !

— Il n'y a pas grand-chose dans la région, et ça va prendre du temps. En attendant, pourquoi ne pas t'installer dans la maison des stagiaires ? Il reste une chambre inoccupée où tu auras tout le confort voulu.

Le bâtiment réservé aux stagiaires était grand, clair et bien agencé. Lorenzo estimait que les jeunes gens, fournissant un gros travail et souvent très éloignés de leur famille, avaient besoin d'un cadre agréable durant leurs six mois de stage. Outre les chambres, qui possédaient toutes leur propre salle de douche, un vaste séjour avec un écran de télévision géant était à leur disposition, en plus d'une grande cuisine bien équipée et d'une buanderie pourvue de plusieurs lave-linge séchants.

— Et si tu as besoin d'entreposer des meubles ou des cartons, tu peux le faire dans ma maison. Qu'en penses-tu ?

Julia parut soulagée par sa proposition, qu'elle s'empressa d'accepter.

— Je serai très bien avec nos stagiaires.

— Comme la cheftaine d'un camp scout ? plaisanta Lorenzo.

— Sûrement pas ! Mais tu as raison, je serai l'ancêtre pour ces jeunes gens, et j'espère qu'ils ne se sentiront pas surveillés ! Pour les meubles, je n'en ai pas, seulement des vêtements et des livres. Avant d'habiter avec Marc, j'avais loué un meublé, tu t'en souviens ? Donc je n'ai presque rien à déménager.

— Mais tu as bien des affaires, des…

— Tout ce que m'a laissé ma mère, je l'ai entreposé dans un garde-meubles de la région parisienne. Jusqu'ici, vois-tu, je ne me suis jamais vraiment fixée. Je n'avais pas, comme toi, un formidable projet à réaliser.

— Sans les terres de mon grand-père, mon projet serait resté lettre morte. Chaque année, je me rends sur sa tombe, à Balme, pour lui dire merci. Et j'en profite pour faire un tour dans le parc national du Gran Paradiso, où il m'emmenait, enfant.

— Oh, j'adore ton accent italien ! À Maisons-Alfort, tu me lisais des vers de Leopardi et je m'endormais parce que je n'y comprenais rien ! Tu ne t'en rappelles plus ?

— Si, très bien. *La Fleur du désert…*

— Tu parles encore italien ?

— Seulement quand je vais là-bas. Mais je ne veux pas l'oublier, alors de temps en temps je lis un journal ou un livre en italien.

Ils regagnèrent la clinique vétérinaire pour consulter le planning et se répartir les tâches. Le parc avait enfin rouvert ses portes, et malgré le temps froid les visiteurs étaient nombreux.

— Tes parents ont été contents de leur séjour, j'imagine ?

— Oui, je crois, au moins maman. Figure-toi que Xavier s'est fait une grande frayeur en allant « prendre l'air » à onze heures du soir. Il a vu un ours de très près et il ne s'y attendait pas. Un gros ours noir, d'après lui, et il doit s'agir de Momo, qui, lui, n'a peur de rien !

Julia éclata de rire. Elle connaissait bien l'antagonisme entre Xavier et Lorenzo, dont ils avaient souvent parlé lorsqu'ils étaient étudiants.

— Ta mère m'a un peu ignorée, c'était vexant. En revanche, elle a chouchouté ton amie Cécile ! Elle doit former des vœux pour que ça marche entre vous.

— Sûrement, répondit-il d'un ton prudent.

Après quelques instants, il ajouta :

— Mais ce n'est pas une raison pour t'ignorer ! Elle te connaît depuis longtemps et elle t'a toujours appréciée. D'ailleurs, elle était vraiment catastrophée quand elle a appris notre rupture. Ou plus exactement que tu m'avais largué.

— Je te rappelle que tu n'étais jamais là, et je ne me sentais pas l'âme de Pénélope attendant Ulysse pendant vingt ans !

— Tu fais bien d'en parler. Nous n'avons pas eu l'occasion de remettre ce sujet sur le tapis, mais, à l'époque, j'ai très mal vécu ta décision. Très, très mal. Vraiment.

Sa véhémence venait de le trahir. Il vit Julia froncer les sourcils et le considérer avec plus d'attention.

— Pourquoi me dis-tu ça maintenant ?

— Je te l'ai dit à ce moment-là ! Dit et répété sur ta boîte vocale, écrit et récrit sans obtenir de réponse.

— Tu m'écrivais du bout du monde que tu pensais à moi. Ça me faisait une belle jambe ! Non, Lorenzo, tu n'as pas été à la hauteur, et je ne voulais pas d'un amour par correspondance. J'étais trop jeune pour être aussi seule.

Elle se détourna et se mit à ranger le matériel dont ils avaient eu besoin pour les vaccins. Derrière elle, Lorenzo restait figé. Repenser à ce qui était arrivé presque dix ans plus tôt se révélait toujours douloureux. À vingt-quatre ans, son besoin d'aventure ainsi que sa soif de découvrir et d'apprendre l'avaient rendu très égoïste.

— Ne me regarde pas comme ça, souffla-t-il, j'ai l'impression d'être au tribunal. Et le verdict n'est pas tendre, même si je le mérite.

Un sourire amusé éclaira le visage de Julia.

— *Commediànte ! Tragediànte !* s'exclama-t-elle en essayant de prendre l'accent italien.

L'envie impérieuse de la serrer contre lui et de l'embrasser parut à Lorenzo à la fois familière et incongrue. Il ne pouvait pourtant pas revenir en arrière, ranimer le passé, faire revivre quelque chose qui n'existait plus. Il émit un petit rire qui sonnait faux avant de se plonger dans l'étude du grand tableau où était inscrit le planning du jour.

— Tu peux passer chez les rapaces ? demanda-t-il sans la regarder. Je vais en profiter pour liquider un peu de paperasserie urgente, mais si tu as un souci, n'hésite pas à me biper. Et n'oublie pas que notre jaguar noir doit arriver en fin d'après-midi. Le transporteur nous appellera pour nous tenir au courant. Dorothée est déjà sur les dents !

Se noyer dans le travail était, comme toujours, le meilleur moyen de ne penser à rien d'autre.

— Pour la chambre, ajouta-t-il, vas-y quand tu veux. C'est la numéro quatre qui est libre.

Attristé, il la regarda sortir. Quelle que soit la force qui le poussait vers elle, il ne devait rien tenter. D'abord parce qu'elle avait confiance en lui, en tant qu'*ami*, ensuite parce qu'elle venait juste de rompre avec Marc. Un mauvais moment pour elle, même si elle semblait déterminée. Quant à Marc, sans doute était-il effondré, et tant qu'il n'aurait pas trouvé de travail ailleurs il allait être contraint de rester là et de continuer à travailler avec Julia. Pas question de lui montrer qu'il n'avait pas eu tort en soupçonnant Lorenzo d'avoir conservé des sentiments pour elle.

Cécile ne savait plus quoi faire. Avoir conquis la mère de Lorenzo ne lui servait pas à grand-chose dans l'immédiat, mais ce serait peut-être un atout dans l'avenir.

Quel avenir ? Lorenzo ne promettait rien, il était toujours aussi peu disponible pour elle et préservait farouchement son indépendance. Il ne l'avait jamais invitée à monter dans sa chambre sous les toits, elle ne savait même pas à quoi ressemblait l'endroit où il passait la plupart de ses nuits. Finalement, ce parc était le pire rival de Cécile ! Mais elle n'était pas dupe : si Lorenzo avait été très amoureux, il aurait trouvé un peu de temps, et surtout il l'aurait regardée et écoutée avec plus d'attention. Au contraire, elle avait l'impression qu'il était distrait, lointain, non concerné.

Avec n'importe quel autre homme, Cécile aurait rompu sans attendre. Pourquoi ne parvenait-elle pas à se détacher de celui-là ?

— C'est moi ! claironna-t-elle en entrant dans les locaux de l'administration du parc.

Penché au-dessus des plans qui recouvraient la grande table d'architecte, Lorenzo se retourna et lui sourit.

— Le sponsor trouvé par Valère n'a pas d'autre exigence que de voir le nom de sa société placardé sur le bâtiment des girafes, ainsi que son logo en bas des affiches et prospectus.

— Pourquoi a-t-il choisi les girafes ?

— Vu la hauteur du bâtiment, il se voit de loin ! s'esclaffa Lorenzo.

— Et en échange ?

— Il a été très généreux, je crois qu'il a beaucoup d'argent à défiscaliser. Mais les choses sont claires parce que, justement, ce bâtiment a besoin d'être rénové. Pour les autres endroits qui profiteront de son financement, je compte signaler son sponsoring aussi. Peut-être avec une petite plaque discrète à l'entrée des enclos concernés.

— Tu joues la carte de l'honnêteté, bravo ! s'amusa-t-elle.

— L'honnêteté n'est pas un jeu de hasard, Cécile. Sans les subventions et sans les sponsors, certaines améliorations auraient pris des années, et une partie de nos projets n'auraient jamais vu le jour, donc je trouve légitime de remercier ceux qui nous soutiennent, et d'être très clair avec eux. Dans quelques années, le parc arrivera peut-être à un bon équilibre financier, mais d'ici là toutes les aides sont bienvenues. Ah, j'allais oublier, il nous envoie des journalistes après-demain ! Tu serais disponible pour les accueillir et leur répondre ? Tu connais le dossier par cœur, que ce soient les frais de fonctionnement ou le nombre d'employés et de visiteurs.

— Tu ne veux pas le faire toi-même ?

— Je déteste ça…

— Mais s'ils veulent visiter le parc ?

— Marc peut les emmener, ou bien Julia. Deux excellents professionnels qui sauront très bien parler du travail que nous accomplissons ici.

Alors qu'elle avait été ravie du début de leur conversation, Cécile se sentit soudain rejetée. Lorenzo comptait sur elle pour recevoir les journalistes et pour leur présenter les chiffres car elle avait l'habitude de le faire au conseil régional, mais il semblait croire qu'elle ne connaissait pas assez bien le parc pour servir de guide.

— À propos de Julia, risqua-t-elle, est-ce vrai qu'elle et Marc se sont séparés ?

— Oui, c'est officiel.

Une mauvaise nouvelle pour Cécile, qui insista :

— Elle va chercher une place ailleurs ?

— Je n'en sais rien, mais j'espère que non.

— Pourquoi ?

La question avait fusé trop vite, posée d'une voix trop aiguë. Lorenzo la dévisagea puis haussa les épaules.

— Parce qu'elle est un très bon vétérinaire, qu'elle commence à bien s'y connaître en faune sauvage et que les équipes l'apprécient. Je n'ai aucune envie de former quelqu'un d'autre.

À l'évidence, il était sincère, même si Cécile le soupçonnait de ne pas dire *toute* la vérité.

— Tu m'emmènes dîner ? demanda-t-elle tout en se maudissant de toujours quémander.

Il hésita, sur le point de refuser, et elle le devança.

— Un nouveau restaurant a ouvert sur la route de Saint-Claude, si on l'essayait ?

Cette route, elle la parcourait sans cesse pour venir jusqu'au parc, même quand Lorenzo ne l'attendait pas, ce qui était une erreur.

— Il paraît qu'ils ont une grande cheminée, insista-t-elle avec entrain, et je rêve de me réchauffer devant une bonne flambée !

— D'accord, finit-il par lâcher. Laisse-moi juste un quart d'heure pour terminer ce que j'étais en train de faire.

Et qu'il n'expliqua pas, ne l'incluant jamais dans ses préoccupations. Cependant, pour ce soir, elle avait obtenu ce qu'elle voulait. Après le dîner, ils gagneraient la petite maison de Lorenzo, où ils passeraient la nuit ensemble. Alors, même si elle devait se lever très tôt le lendemain, elle était contente parce que, au moins, quand ils faisaient l'amour, elle avait l'impression qu'il l'aimait.

*

L'arrivée de Julia à la maison des stagiaires avait été saluée gaiement par les jeunes gens, qui voyaient dans cette proximité l'occasion d'apprendre plein de choses. Les questions fusaient lors du petit déjeuner, pris en commun dans la grande salle du rez-de-chaussée. En contrepartie, elle s'était vu exempter des tâches ménagères sous prétexte que le planning était déjà fait et ne devait pas être bouleversé.

Surpris par cette installation, Marc n'avait pas fait de commentaire, d'ailleurs il évitait d'adresser la parole à celle qui avait failli être sa femme. Mais, dès qu'il la croisait, son air malheureux le trahissait. Il n'en revenait toujours pas qu'elle ait pu le quitter aussi brutalement. Il n'avait rien vu venir, ayant mis sur le compte de la grossesse puis de la fausse couche toutes les réserves et tous les reculs qu'elle avait marqués ces derniers temps. Elle ne semblait pourtant pas déprimée, quelle mouche l'avait donc piquée ? Les doutes qu'il avait eus concernant Lorenzo lui paraissaient vains. Il y avait forcément autre chose, mais quoi ? Julia était pourtant arrivée à l'âge où n'importe quelle femme souhaitait fonder une famille. Elle l'avait voulu puisqu'elle était tombée enceinte, ayant délibérément interrompu toute contraception. La déception avait-elle été trop forte ?

Tous les soigneurs du parc, ainsi que les stagiaires, avaient deviné le malaise de Marc. Il n'était plus joyeux, lui qui l'avait toujours été, et il ne plaisantait plus que du bout des lèvres, allant même, parfois, jusqu'à s'énerver pour rien, ce qui n'était pas dans ses habitudes. S'il restait patient avec les animaux, il ne l'était plus avec les gens, et il s'en voulait de son humeur sombre, sans parvenir à s'égayer.

En surfant sur Internet, il scrutait les petites annonces d'un œil morne. Il voulait partir sans vraiment le vouloir. Et puis, ici, qui donc prendrait sa place ? Qui saurait diriger les équipes comme il le faisait ? Il n'avait pas envie d'imaginer son successeur, il en était jaloux d'avance.

Jaloux ! Ne l'avait-il pas été bêtement ? Et trop directif, trop possessif, trop… Mais à quoi bon s'adresser d'inutiles reproches puisqu'il avait perdu Julia ? Une Julia installée désormais dans le bâtiment des stagiaires ! Ce qui, au fond, était un moindre mal, car il avait eu peur qu'elle n'emporte ses valises chez Lorenzo. Et même si celui-ci habitait peu sa maison, Marc aurait peu apprécié.

L'arrivée mouvementée de Tomahawk, le jaguar noir, l'avait cependant distrait. Après avoir refusé pendant une heure de quitter sa caisse de transport, le félin en était soudain sorti comme un missile. Très énervé, feulant et crachant, il avait effrayé tous ceux qui se trouvaient à proximité de son box. Vu son état d'agitation, Lorenzo avait décidé de le lâcher dans le vaste enclos qui lui était réservé et qui avait été agrandi après la mort de Malika. D'abord méfiant, Tomahawk s'était perché sur une grosse branche d'où il avait observé son territoire, puis, ayant repéré la nourriture déposée à son intention, il s'était jeté dessus pour la déchiqueter et l'engloutir. Ensuite Marc, posté le long du grillage, l'avait appelé calmement ; l'animal n'avait pas réagi, apparemment indifférent, mais deux minutes plus tard il s'était retourné, menaçant, retroussant ses babines sur des crocs impressionnants. Lorenzo et Marc étaient tombés d'accord pour déceler chez Tomahawk un caractère ombrageux qu'il serait sans doute difficile d'apaiser. Mais il était si beau avec sa fourrure noire et ses yeux très clairs, si impressionnant avec ses quatre-vingt-dix kilos de muscles, que les visiteurs allaient l'adorer ! Marc lui avait attribué l'un des soigneurs les plus expérimentés, mais il souhaitait superviser lui-même les premières semaines d'adaptation de Tomahawk. Lorenzo avait demandé un compte rendu quotidien et détaillé de son comportement afin d'estimer s'il serait envisageable de lui présenter une femelle à la saison des amours, l'une des finalités du parc étant la reproduction.

Pour ce genre de travail accompli main dans la main par les vétérinaires et les soigneurs, Marc se sentait heureux d'être là. Et tandis qu'il s'investissait dans sa mission, au moins il ne pensait plus à Julia.

*

Le dimanche soir, à l'heure de la fermeture du parc, Anouk fit la surprise d'une visite à son frère. Elle portait à bout de bras, blotti dans un panier d'osier garni d'un coussin moelleux, un adorable chiot golden retriever acheté l'après-midi même.

— Mais un chien ne peut pas rester seul toute la journée ! protesta Lorenzo, indigné.

— Seul ? Grands dieux, non ! Je compte bien l'avoir toujours avec moi.

— Dans les cuisines du Colvert ?

— Et alors ? Il aura son coin à lui, tous mes marmitons vont le chouchouter, je lui apprendrai à ne pas traîner dans nos pattes, et avant tout, tu vas le vacciner ! Quand je pense qu'il aura un tonton vétérinaire…

Elle arborait un sourire triomphant, heureuse d'avoir réalisé un vieux rêve en décidant d'acquérir ce chiot.

— Souviens-toi comme on en voulait un à la maison quand nous étions jeunes ! Mais papa refusait toujours. Tu l'as pourtant harcelé, et il n'a jamais cédé.

— À toi, il aurait dit oui.

— Il t'avait tellement dit non que je n'ai pas osé. La différence de traitement était trop flagrante, ça me faisait de la peine pour toi.

Lorenzo ignora délibérément ce qu'elle venait de dire. Il posa le chiot sur la balance, nota son poids.

— Eh bien, il va détester son tonton, mais je dois lui injecter une puce électronique. Allez, Jasper, courage, mon vieux !

— Je ne veux pas voir ça, marmonna Anouk en se détournant.

— S'il fait une fugue, tu seras bien contente parce que ça t'aidera à le retrouver… Voilà, c'est fini, il n'a pas bronché, il est plus courageux que toi, ma vieille !

Anouk récupéra son chiot, qu'elle serra contre elle.

— Et les vaccins ? rappela Lorenzo.

— Tu vas encore le piquer ?

— C'est obligatoire. Rends-le-moi.

— La prochaine fois, je m'adresserai à Julia, elle est plus douce que toi !

— Julia, douce ? s'esclaffa Lorenzo.

Il fit la piqûre, caressa la tête de Jasper et le posa par terre.

— Il a des pattes, il peut marcher, ne le porte pas comme un bébé.

Voyant le regard de reproche que sa sœur lui adressait, il comprit qu'il avait été maladroit. Contrairement à tout ce qu'elle avait proclamé jusque-là, Anouk avait-elle envie d'un enfant ?

— Tu restes dîner ? demanda-t-il pour faire diversion.

Le dimanche soir et le lundi étant les jours de fermeture du Colvert, elle n'était pas pressée et elle accepta.

— Adrien, notre modeste chef, aura sûrement quelque chose pour Jasper. Je suis finalement très content de l'avoir examiné, il y a des lustres que je n'avais pas eu affaire à un chien. Ils sont si faciles à deviner, quel repos !

En se dirigeant vers le restaurant du parc, Anouk voulut savoir où en était Lorenzo avec Cécile.

— Où ? Euh… Nulle part. Elle est gentille, séduisante et je l'aime beaucoup, mais elle cherche à m'envahir, elle ne comprend pas que je veuille garder mon indépendance.

— Nous allons tous finir comme de vieux croûtons, prophétisa Anouk d'un ton sinistre. Valère, toi, moi… Il n'y a que Laetitia qui tire son épingle du jeu. Tu crois que c'est l'exemple de nos parents qui veut ça ?

— Non. Si c'était le cas, la Terre serait dépeuplée ! Et ils n'étaient pas si mauvais, comme modèles.

— Tu es très indulgent ! Ou pas rancunier.

— Modèle de couple, j'entendais. En tant que beau-père, j'aurais beaucoup à dire, mais en tant que mari et père, Xavier est dans la norme.

— Justement ! La norme ? Tout ce que je déteste.

— Tu cherches un prince charmant atypique ?

— Exactement.

— Tu n'es pas près de…

— … le trouver, je sais.

Ils rirent ensemble, puis elle demanda :

— Et toi, Lorenzo, que cherches-tu, à part la copie conforme de Julia ?

Il se figea, cessa de marcher, repartit.

— Julia tout court, avoua-t-il dans un souffle.

Faire cet aveu à sa sœur était une marque de confiance qu'elle estima à sa juste valeur.

— Qu'est-ce que tu vas faire ?

— Rien ! Je ne peux rien faire. Elle sort à peine d'une histoire douloureuse, il faut la laisser tranquille. De plus, elle ne comprendrait pas que je veuille souffler sur les cendres du passé. Pour elle, je suis un véritable ami, c'est le rôle qu'elle m'a octroyé et ça s'arrête là.

Au restaurant, Adrien, qui allait partir, accepta de les accueillir.

— La journée a été bonne ! lança-t-il à Lorenzo. Déjeuner, goûter, tout le monde est venu se réchauffer ici à un moment ou à un autre, et j'ai été dévalisé. Mais je vais vous trouver quelque chose… Même si c'est loin de pouvoir rivaliser avec la cuisine d'un grand chef !

— Le grand chef mangerait bien un burger, repartit Anouk.

— Ça peut se faire. Toi aussi, Lorenzo ? Et pour ce petit chien, un peu de viande hachée ? Finalement, pareil pour tout le monde !

Il disparut dans les cuisines tandis que Lorenzo dépliait deux chaises et tirait une table. Chaque soir, tout était nettoyé et rangé par les employés afin que la grande salle reste d'une propreté impeccable.

— Pour un self, apprécia Anouk, le cadre est plutôt chaleureux.

— Je tiens à ce que nos visiteurs se sentent bien partout, y compris ici. J'essaie de leur donner envie de revenir ! Et Adrien partage complètement mes objectifs en matière d'écologie. On ne peut pas dire aux gens de venir admirer la nature sauvage et, à l'heure du déjeuner, leur servir dans des barquettes en plastique des aliments produits à l'autre bout du monde. Tout le parc, y compris cet espace de restauration, doit avoir la même éthique. Ce qui m'a rendu longtemps réticent à ouvrir une boutique de souvenirs.

— Et tu y viens ?

— Bien obligé, les enfants sont très demandeurs. Par bonheur, j'ai trouvé des partenaires locaux. Il suffit de chercher, les artisans sont là ! Une petite entreprise va nous proposer des tee-shirts de bonne qualité avec des motifs de lion ou de girafe qui ne déteindront pas au lavage ; une autre, implantée à côté de Saint-Claude, nous fait des porte-clés, des magnets et des stylos qui fonctionnent vraiment ; un imprimeur me prépare une plaquette pleine de photos prises ici, dont j'ai écrit les légendes. Je n'ai plus qu'à dénicher un fabricant de peluches ! Les articles seront peut-être un peu chers, mais tous, sans exception, seront estampillés *made in France*. En acceptant ce… compromis, je fais plaisir aux enfants qui ne veulent pas s'en aller les mains vides. Mais je ne deviens pas mercantile pour autant, tout sera vendu quasiment à prix coûtant.

Impressionnée par tant de détermination, Anouk hocha la tête en signe d'approbation.

— Je ne sais pas comment tu arrives à t'occuper d'autant de choses à la fois !

— J'apprends à déléguer. Et la boutique est gérée de manière indépendante, comme la restauration.

— Tu as tout de même l'air très fatigué, Lorenzo.

Elle détaillait les cernes sous les yeux de son frère, les rides d'expression plus marquées, les joues creuses, la cicatrice bien visible qui barrait sa tempe et sa pommette.

— Anouk, je poursuis mon rêve et c'est beaucoup plus merveilleux que fatigant ! Au tout début, quand les travaux ont démarré ici avec le premier bulldozer, j'avais tellement d'idées, tellement d'envies ! Mais j'étais lucide, je ne croyais pas parvenir à en réaliser le dixième. Et voilà que, petit à petit, tout se fait, tout arrive. J'ai encore mille projets, et aujourd'hui je sais que j'en réaliserai un certain nombre. Quel beau programme ! Comment voudrais-tu que je sois fatigué ?

— Pourtant, tu l'es.

— Tant pis ! Je suis en bonne santé, où est le problème ?

Adrien les interrompit en apportant les burgers faits maison et de petites bouteilles de vin blanc.

— On vend uniquement des quarts pour limiter la consommation d'alcool, expliqua-t-il. J'ai pensé au bébé chien.

Il déposa devant Jasper un bol d'eau et une écuelle contenant de la viande hachée.

— Je peux m'asseoir avec vous, ou je dérange ? Comme je ne peux pas fermer tant que vous êtes là…

Prenant place en face d'Anouk, il ajouta :

— J'ai lu un article élogieux sur le Colvert, et c'est le troisième que je vois passer. On parle beaucoup de votre restaurant dans la région, mais vous êtes si jeune que c'est difficile de vous imaginer en chef.

— Elle en était déjà un à treize ans, plaisanta Lorenzo.

— Eh bien, vous êtes de sacrés numéros dans la famille ! Tous aussi entêtés ?

— Volontaires, corrigea Anouk en souriant.

— Battants, rectifia Lorenzo.

Il échangea un regard complice avec sa sœur. Eux deux étaient de la même trempe, ils le savaient depuis longtemps.

— Tiens, j'y pense, reprit Adrien, ta copine Cécile m'a suggéré de proposer davantage de plats chauds, mais à mon avis ce n'est pas une très bonne idée.

— Bonne ou pas, Cécile n'a rien à te suggérer ! C'est toi le gérant de cet endroit, tu fais comme tu l'entends.

— Trois options, dit Anouk en désignant le grand tableau noir où étaient inscrits les menus, c'est suffisant. Je vois là une viande, un poisson, et un plat végétarien avec ou sans œufs : il n'y a rien à ajouter, vous avez une offre complète.

Elle avait remarqué le petit mouvement d'humeur de Lorenzo, qui, apparemment, refusait toute initiative émanant de Cécile. Son aveu concernant « Julia-tout-court » était très révélateur : il était encore obnubilé par elle, et les autres femmes ne comptaient toujours pas. Comment Cécile acceptait-elle cette quasi-indifférence ?

Adrien, satisfait par le jugement d'Anouk, repartit vers les cuisines pour y chercher un dessert.

— Lorenzo, déclara-t-elle à voix basse, tu devrais ménager Cécile. Je te répète ce que je t'ai dit tout à l'heure, nous allons finir comme…

— … des vieux croûtons, je sais !

Il avait l'air de s'en amuser, et elle se mit à sourire à son tour.

— Moi, j'aurai au moins Jasper, blagua-t-elle.

— Plutôt ses descendants.

Déposant devant eux des coupes de glace, Adrien demanda :

— J'aimerais savoir un truc… Maintenant que Julia a quitté Marc, est-ce que vous croyez que je peux tenter ma chance avec elle ? Parce que nous serons très vite nombreux sur les rangs ! Les stagiaires sont en extase mais ils n'oseront pas, en revanche, les soigneurs… Vous comprenez, ils se disent qu'il y a eu Marc, alors pourquoi pas eux, même s'ils ne sont pas chefs ? Vous entendriez certaines conversations, elle a vraiment la cote ! Enfin, moi, je pense avoir une petite chance. Avec Julia, on a parfois échangé des regards… que je crois prometteurs.

— Foutez-lui donc la paix, tous autant que vous êtes ! s'exclama Lorenzo. Elle a le droit d'être tranquille et de ne pas subir des compliments mielleux et des coups d'œil égrillards !

Sa colère le trahissait. Adrien le regarda, bouche bée.

— Euh… Oui, bien sûr. Je disais ça comme ça, parce que… Bon, d'accord, j'ai dû me tromper.

Il scruta Lorenzo une seconde, tenta un sourire d'excuse.

— Si vous avez fini, je vais débarrasser.

— On t'aide, proposa Lorenzo, qui regrettait son éclat.

— Non, non, allez vous reposer, vous en avez besoin. Surtout toi.

Anouk remercia Adrien pour son hospitalité, puis elle s'empara du bras de son frère et l'entraîna dehors. Une fois dans l'allée, elle marmonna :

— Tu prends les choses trop à cœur. Et il a raison, tu as besoin de repos. Tu dors ici ?

— Je te laisse la maison. Les clés sont sous le paillasson, tu n'auras qu'à les y remettre en partant demain. Pour Jasper, j'aurai un rappel de vaccin à faire dans trois semaines, une bonne occasion de te revoir ! Et n'oublie pas de lui laisser de l'eau fraîche à disposition.

Il la raccompagna jusqu'au parking et l'aida à installer le chiot dans sa caisse de transport. En souhaitant une bonne nuit à sa sœur, il la serra contre lui, la retenant un peu plus longtemps que nécessaire.

— Fais attention à toi, Anouk.

Il avait toujours protégé ses petites sœurs et son petit frère, sans éprouver de jalousie à leur égard. Impartial, il tenait Xavier pour seul responsable des injustices ou méchancetés qui avaient gâché son enfance et son adolescence. Aujourd'hui, il n'y pensait plus guère, heureux de l'existence qu'il s'était bâtie.

En passant devant la maison des stagiaires, qui se trouvait à l'entrée du parc, il constata que toutes les fenêtres étaient noires, y compris celle de la chambre numéro quatre, où Julia devait dormir. Dans l'obscurité, il lui envoya un baiser imaginaire, puis haussa les épaules pour se moquer de lui-même avant de repartir vers le bâtiment de l'administration.

*

Le samedi suivant, jour d'affluence au parc, Cécile était arrivée tôt, bien décidée à profiter du week-end aux côtés de Lorenzo. Elle sentait que sa présence n'était parfois que tolérée, mais elle était déterminée à faire changer les choses et à trouver sa place malgré tout.

Son idée fixe étant de se rendre indispensable, elle avait brillamment mené les entretiens avec les différents médias pour promouvoir le parc Delmonte, et elle ne manquait jamais d'en étoffer le dossier auprès du conseil régional. Le sponsor obtenu par Valère était un gage supplémentaire de solidité, tout comme le taux de fréquentation, en hausse constante. Grâce à un comptable rigoureux, les finances du parc étaient transparentes, et l'intransigeance de Lorenzo, qui refusait de transformer son parc zoologique en parc d'attractions, inspirait confiance. L'avenir semblait donc assuré pour l'instant, même si l'équilibre restait fragile.

Cécile trouva Lorenzo près de l'enclos des pandas roux, d'où il sortait, accompagné d'un soigneur. Il la salua gaiement mais annonça qu'il était pressé, ayant été bipé pour un problème chez les loups. Elle n'hésita pas à le suivre et à monter dans la petite voiture de service avec laquelle il se déplaçait. Essayant de trouver un sujet susceptible de retenir son attention, elle lança :

— As-tu vu les résultats de la consultation menée par le ministère de l'Environnement en Angleterre ? Je crois que cette fois tout le monde est d'accord chez eux pour interdire la vente d'ivoire au Royaume-Uni !

— Vu que la Grande-Bretagne est le plus gros exportateur, voilà une très bonne nouvelle, apprécia-t-il.

Elle continua de bavarder tandis qu'il slalomait lentement entre les groupes de visiteurs qui arpentaient les allées.

— Mon chéri, j'ai eu une idée que j'avais hâte de te soumettre ! Je me demandais pourquoi tu ne changeais pas le nom du parc. Tu pourrais trouver quelque chose de plus explicite, de plus symbolique. « Delmonte », ça ne parle à personne…

— Ça me parle à moi ! répliqua-t-il. C'est mon nom, celui de mon père, et surtout celui de mon grand-père, sans qui nous ne serions pas ici. Ce parc n'existe que grâce aux terres d'Ettore, pas question de l'oublier. Delmonte… J'en suis très fier !

— D'accord, ne t'énerve pas, je pensais seulement que ce n'est pas très commercial.

— Je ne fais pas de commerce.

Parvenu devant l'enclos des loups, Lorenzo freina sèchement et jaillit hors de la voiture sans plus s'occuper de Cécile. Marc et un soigneur vinrent à sa rencontre pour lui exposer la raison de leur appel. Au-delà des grillages se dressait tout un bois de conifères qui était le territoire des loups. Cécile n'éprouvait aucune fascination particulière pour les animaux, ni sauvages ni domestiques, mais, maligne, elle ne l'avait jamais exprimé clairement devant Lorenzo. Ce qui lui avait plu dans le dossier soumis au conseil régional était l'intérêt touristique et écologique du projet ; ensuite elle avait craqué pour Lorenzo lui-même. Si elle voulait gagner son cœur, faudrait-il qu'elle s'intéresse pour de bon à toutes ces espèces ?

En s'approchant du grillage, elle crut apercevoir un grand loup gris en partie dissimulé par les troncs d'arbres. Les gens affluaient-ils ici pour connaître le même genre de frisson que celui qu'elle venait de ressentir ? Admirer ou se faire peur à bon compte ?

Une autre voiture aux couleurs du parc vint se garer derrière celle de Lorenzo, et Julia en descendit. Il l'avait donc appelée à la rescousse. Ah, comment se débarrasser d'elle ? Tant qu'elle serait là, Cécile en avait la certitude, Lorenzo ne serait pas vraiment disponible. Julia rejoignit les trois hommes qui parlaient avec animation et, une minute plus tard, elle éclata d'un rire joyeux. Cécile, dévorée de curiosité, finit par s'approcher du petit groupe.

— Notre louve alpha a eu sa nouvelle portée de louveteaux, lui expliqua Lorenzo.

— J'en ai compté quatre, ajouta Marc, mais il y en a peut-être un cinquième. Je ne veux pas la déranger, elle est fatiguée et elle dort beaucoup. Dès qu'elle pourra aller dehors avec ses petits, les autres louves la soulageront.

— Les autres ? s'étonna Cécile.

— Ça se passe comme ça, dans une meute, expliqua Julia. Un seul couple a le droit de se reproduire, et tous les membres du groupe aident à l'éducation des louveteaux.

Son ton docte agaça Cécile, mais celle-ci hocha la tête en prenant l'air intéressé.

— De toute façon, on ne va pas les examiner aujourd'hui, déclara Lorenzo. On fiche la paix à la petite famille !

Il échangea un sourire avec Julia et se dirigea vers sa voiture, aussitôt suivi par Cécile, qui s'installa à côté de lui. Elle cherchait désespérément un moyen de le détourner de Julia. Elle avait surpris leur sourire et ne se faisait aucune illusion quant à une prétendue « amitié » entre eux au nom du bon vieux temps. Foutaises ! D'ailleurs, elle ne croyait pas à l'amitié entre un homme et une femme. Pour elle, ce mot-là dissimulait hypocritement du désir. Elle devait trouver d'urgence une idée qui éloignerait Lorenzo de Julia.

— Quand je vois Marc et Julia éviter de se regarder ou de trop s'approcher l'un de l'autre, ça me fait de la peine pour eux, lâcha-t-elle d'une voix douce.

— Pourquoi donc ?

— Parce qu'ils meurent d'envie de se réconcilier et de se remettre ensemble.

— Je ne crois pas, non.

Constatant avec soulagement que Lorenzo mordait à l'hameçon, elle se félicita de son initiative et poursuivit :

— Voyons, ça crève les yeux ! Ils font semblant de s'ignorer, mais leur attirance réciproque est évidente.

— Je n'ai pas remarqué.

— Tu n'es pas très observateur, alors.

Sourcils froncés, mâchoires crispées, il n'aimait pas ce qu'il entendait. Elle décida aussitôt de pousser son avantage.

— Ils se sont séparés sur un coup de tête, déboussolés d'avoir à assumer le deuil de cet enfant qu'ils espéraient tellement. Mais ils s'aiment toujours ! Je suis certaine qu'ils ne demanderaient pas mieux que de faire une nouvelle tentative pour avoir un enfant. D'ailleurs, Marc parle sans cesse de partir, mais il est toujours là. S'il l'avait voulu, il aurait quitté le parc, mais il n'est pas question pour lui de s'éloigner d'elle.

— Il n'a pas trouvé de place qui lui convienne jusqu'ici.

— Parce qu'il ne la cherche pas.

— Possible… Pourtant, Marc n'est pas un menteur.

— Il a son orgueil, c'est normal.

Mimant l'indifférence, elle eut un geste de la main censé marquer la fin de la discussion. Toutefois, elle ajouta :

— Je me fiche de leur histoire, mais je leur souhaite de se retrouver, ce serait trop bête qu'ils se ratent alors qu'ils sont faits l'un pour l'autre, comme ils l'avaient bien compris dès le début. Et en tant que femme, je suis solidaire de Julia, donc si je peux l'aider…

Elle avait eu un authentique accent de vérité pour proférer sa série de mensonges. Apparemment, Lorenzo était dupe, car son visage restait fermé et il ne contestait plus. S'il croyait à cette version des choses, il ne tenterait rien auprès de Julia, et c'était exactement ce que Cécile espérait.

9

— Un spécialiste de la sécurité ! répéta Valère. Qui dit mieux ? Il peut revoir et optimiser toute l'installation du parc, en échange il veut seulement avoir le droit de s'en vanter.

— À savoir ?

— Annoncer dans ses propres campagnes de pub que sa boîte assure la sécurité du parc zoologique Delmonte. Il a deux ou trois autres exemples à citer, uniquement des trucs emblématiques qui servent à asseoir sa réputation. Personnellement, je trouve ça très malin. En plus, son entreprise est sérieuse, elle a fait ses preuves. Donc, tu peux avoir confiance, tu seras mieux protégé et tu dormiras enfin la nuit.

— Eh bien, je ne sais pas trop…, hésita Lorenzo.

— Moi, je sais ! Je t'apporte ça sur un plateau d'argent. On organise une rencontre pour que tu fasses sa connaissance et que vous vous mettiez d'accord, ensuite il envoie une équipe enquêter sur le terrain pour déterminer tes besoins, enfin on te soumet le projet. Ça te va ?

Amusé par l'insistance de son frère, Lorenzo repoussa la couette et sortit de son lit. Il n'était que six heures du matin et il faisait froid sous les toits. Mettant son téléphone sur haut-parleur, il enfila un peignoir et lança la petite machine à café installée sur une commode.

— Parce que enfin, poursuivait Valère, les gendarmes n'ont pas fait grand-chose pour toi ! Je suppose qu'ils n'ont jamais retrouvé tes agresseurs, en admettant qu'ils les aient cherchés. Tu l'as dit toi-même, les animaux ne font pas partie de leurs priorités, ce que je peux comprendre ; en conséquence, c'est à toi de te protéger. Or, l'entreprise de ce monsieur est agréée pour les espaces ouverts au public. Alors ?

— Tu devrais être représentant de commerce, persifla Lorenzo.

— Je gagne mieux ma vie dans ma boîte de conseil. Mais quand tu rouleras sur l'or, dans quelques années, je deviendrai ton agent.

— Je ne roulerai jamais sur l'or…

— En effet, c'est peu probable. Tu donnes trop à manger à tous tes animaux !

Le rire clair de Valère égaya Lorenzo, qui demanda :

— Comment se fait-il que tu sois déjà levé à cette heure-ci ?

— Je ne me suis pas couché, j'ai passé la nuit à danser et à flirter.

— Une nouvelle conquête ?

— Pas encore.

— Quelque chose de sérieux ?

— Peut-être.

— Oh là là !

— N'ajoute rien, je sens venir le sarcasme.

— Je n'ai rien dit. Je pense seulement à Anouk, qui nous voit tous finir comme…

— … des vieux croûtons, je sais.

Cette fois, ils rirent de bon cœur, puis Lorenzo fixa une date pour la rencontre proposée par son frère.

— À la fin, il va me falloir trouver un truc pour te remercier. Tu fais beaucoup pour le parc.

— Le prochain girafon qui naîtra chez toi, appelle-le Valère, d'accord ?

— Marché conclu. Tes tarifs ne sont pas exorbitants.

— Normal, en famille !

La gaieté de Valère était décidément communicative, et Lorenzo se sentit réjoui à la perspective de bientôt le revoir. Quant à la sécurité du parc, elle restait l'une de ses principales préoccupations, car, en effet, il dormait mal depuis des mois. Il but son café, prit une douche et s'habilla chaudement. Le printemps arrivait, mais cette fin mars était encore assez froide, en particulier le matin. Il descendit dans son bureau, ouvrit l'ordinateur pour lire les messages et y répondre. Exceptionnellement, la journée s'annonçait calme. Il vérifia les réservations des petites maisons et constata avec plaisir qu'il n'y en avait plus une seule de libre jusqu'à la fin de l'été. Tout semblait lui réussir en ce moment, le parc prospérait, les échanges avec les autres zoos d'Europe se poursuivaient sans le moindre incident, bref, l'avenir était radieux, au moins sur le plan professionnel. Pour le reste…

Avec Julia, Lorenzo s'était mis en retrait. Les propos de Cécile l'avaient beaucoup troublé, il y repensait souvent. Pour rien au monde il ne voulait être un obstacle entre elle et Marc. Si leur histoire devait reprendre, il en redeviendrait le spectateur, tant pis pour lui. Il avait eu sa chance en son temps et l'avait gâchée, il n'avait plus le droit d'intervenir dans la vie de cette femme. Mais se cantonner à de stricts rapports de travail était compliqué. Pour ne pas se torturer en la côtoyant, il s'arrangeait pour répartir les tâches de manière à ne pas se retrouver avec elle. Et quand elle l'appelait pour solliciter son avis sur un cas difficile, il ne s'attardait jamais. Il n'essayait même pas de voir si un rapprochement entre elle et Marc avait bien lieu.

D'une certaine manière, Cécile lui servait de garde-fou. Il aurait voulu l'aimer davantage mais, rien à faire, il n'éprouvait que du désir, ce qui rendait leur liaison insignifiante, car il aurait ressenti la même chose avec n'importe quelle jolie fille. Et celle-là remuait beaucoup d'air en cherchant à s'imposer ! Intelligente, elle aurait dû comprendre les réticences de Lorenzo, mais elle s'aveuglait et en exigeait toujours plus. Par chance, un rappel à l'ordre de sa hiérarchie l'obligeait à rester souvent à Lons-le-Saunier.

Parmi ses messages, une demande émanant de Maisons-Alfort retint son attention. Il s'agissait de recevoir des étudiants chargés d'observer le comportement des animaux afin d'améliorer leurs connaissances en éthologie. Lorenzo, en tant qu'ancien élève de l'école, accepterait-il de les accueillir ? Il donna aussitôt son accord, ayant une pensée émue pour les années d'études qu'il avait partagées avec Julia. Malgré un travail acharné qui occupait toutes leurs journées et parfois une partie de leurs nuits, cette période de sa vie lui avait laissé un souvenir merveilleux. Il consulta ensuite les messages du programme d'élevage européen auquel son parc adhérait, répondit à des confrères, parcourut le bilan hebdomadaire envoyé par son comptable, fit une grosse commande de vermifuges. Puis, enfin libéré de ses contraintes administratives, il sortit pour gagner la clinique vétérinaire. Il allait devoir se séparer des louveteaux nés un an plus tôt et qui devenaient de jeunes adultes bagarreurs. Pour éviter la consanguinité, il fallait faire des choix. La nouvelle portée connaîtrait un jour le même sort, mais en attendant les bébés réjouissaient les visiteurs. Quant à la louve alpha, peut-être faudrait-il envisager la pose d'un implant contraceptif. La meute ne devait plus grandir, sinon elle manquerait de place.

À la clinique, il tomba sur Julia, qui avait dû se lever tôt elle aussi et qui s'affairait déjà. Elle expliqua qu'elle était passée voir la lionne Samba.

— Elle a une plaie à l'épaule, apparemment une morsure, mais qui n'est pas sévère, annonça-t-elle. Je l'ai désinfectée hier soir et je vais recommencer avant que son soigneur la fasse sortir.

Grâce à un simple pulvérisateur de jardinier, elle pouvait projeter le produit à travers la grille du box sans avoir à endormir le fauve.

— Et ensuite…

Elle leva les yeux vers le tableau pour vérifier son emploi du temps.

— Ah oui, je dois vacciner nos manchots ! On va devoir s'y mettre à plusieurs. Tu viendras nous aider ?

— Non, j'ai une échographie à faire sur l'ocelot. Je vais réquisitionner Marc. Mais si tu as besoin de monde, prends les stagiaires avec toi, ils ne demanderont pas mieux et ce sera très instructif pour eux.

Il se mit à rédiger les fiches de traitement des animaux malades destinées aux soigneurs de chaque secteur. Au bout de quelques minutes, Julia vint gentiment lui taper sur l'épaule.

— Lorenzo ? J'ai l'impression que tu me fuis.

— Qui, moi ? protesta-t-il stupidement.

— Toi, oui. Nous ne sommes que deux ici et c'est à toi que je parle. Avant, nous faisions pas mal de choses ensemble, mais maintenant tu répartis le travail de manière qu'on ne partage plus rien.

— Eh bien, ce n'est plus nécessaire de travailler en binôme. Tu as gagné en assurance, tu es autonome, tu n'as pas besoin que je regarde par-dessus ton épaule.

— Ne me prends pas pour une idiote, tu vois très bien ce que je veux dire.

Il secoua la tête, à court d'arguments, niant l'évidence.

— Si, insista-t-elle, tu me fuis. Et Marc m'évite. J'ai l'impression d'être une pestiférée !

— Marc t'évite ou c'est toi qui évites Marc ? se força-t-il à demander.

— Je suppose qu'il a été choqué par la manière abrupte dont ça s'est terminé entre nous, mais nous pouvons rester en bons termes.

— Amis ? ricana Lorenzo.

Elle contourna la table sur laquelle il écrivait pour se placer face à lui.

— Quel mal y aurait-il à être amis ? Tu prononces le mot du bout des lèvres, comme une grossièreté !

— Parce qu'il ne veut sûrement pas de ton amitié. Il t'aime toujours.

Le dire était douloureux, pourtant c'était sans doute la vérité.

— Je n'y peux rien, murmura-t-elle. J'espère qu'il rencontrera quelqu'un d'autre, une femme bien. Il le mérite.

— Alors pourquoi l'as-tu quitté ?

— Je croyais te l'avoir expliqué.

— Oh, la vérité de l'instant ! Comme son nom l'indique, ça peut varier.

Elle le toisa, haussa les épaules.

— Tu es de mauvais poil, ce matin, estima-t-elle. Tu es pourtant si gentil... Quelque chose ne va pas avec Cécile ?

— Gentil ! Amis ! explosa-t-il. Assez de mièvreries, Julia, on n'est pas au pays des Bisounours ! Je ne suis pas gentil, non...

Cherchant à échapper au regard scrutateur de Julia, il se leva, s'éloigna vers les vitrines fermées qui contenaient les médicaments et produits toxiques.

— Lorenzo ?

Il se retourna, vit qu'elle l'observait toujours, sourcils froncés. Elle semblait un peu amaigrie mais elle était si jolie qu'il dut s'empêcher de le lui dire. Il aimait tout d'elle, ses yeux sombres et brillants, la couleur miel de ses cheveux, sa nuque délicate, sa peau mate, ses longues jambes, un grain de beauté dans son dos dont il se souvenait trop bien : absolument tout !

— Est-ce que je te pose un problème ?

La question était si directe qu'elle prit Lorenzo au dépourvu. Comme il restait muet, elle enchaîna :

— Nous étions assez complices jusqu'ici pour que tu sois franc avec moi. Tu trouves que j'ai mal agi avec Marc ? Tu en as assez de toutes nos histoires ? Tu regrettes de m'avoir donné une chambre chez les stagiaires ? Tu veux que je m'en aille ?

— Non !

Un cri du cœur qu'il n'avait pas pu refréner.

— C'est Cécile ? poursuivit-elle, imperturbable. Ça l'ennuie que tu travailles avec une femme qui a été ta petite copine ?

— Rien de tout ça, Julia.

— Alors, quoi ?

Il hésitait, sur le point d'avoir un accès de franchise, quitte à ce qu'elle se fâche ou se moque de lui, lorsque Marc fit irruption. Il brandissait un journal qu'il vint agiter sous le nez de Lorenzo.

— Tu as vu ça ? Le zoo de Beauval a fait un émule, Thoiry s'y est mis !

Lorenzo jeta un coup d'œil à l'article et acquiesça.

— Oui, j'ai vu leur programme pour transformer les déjections des gros animaux en biogaz. Une usine de méthanisation… L'idée est géniale mais coûte très cher. Ça fait partie de tout ce qu'on peut faire d'intelligent dans un parc, à condition d'avoir l'argent, car le budget nécessaire à la mise en œuvre est énorme. L'association nationale des parcs zoologiques a envoyé la documentation à tout le monde. Si je veux m'y mettre, je dois contacter l'Agence de l'environnement et de la maîtrise de l'énergie. Le délai de rentabilité est estimé à une douzaine d'années.

— Rien que ça ! s'exclama Marc. Bon, je crois que ce n'est pas pour nous.

— Pourquoi pas ?

— Oh, tu rêves un peu, non ? Fais attention de ne pas devenir comme la grenouille qui voulait se faire aussi grosse que le bœuf !

Sa plaisanterie tomba à plat, Julia et Lorenzo n'esquissant pas le moindre sourire.

— Je veux simplement dire que tu vois trop grand.

— Pas forcément.

— Cécile pourrait te donner des tuyaux, non ? suggéra Julia.

Utiliser Cécile était exactement ce que Lorenzo ne voulait pas faire. Il n'imaginait pas se servir d'elle, surtout s'il finissait par la quitter, ce qui était probable.

— On verra, répondit-il de façon évasive.

Surprenant le sourire amusé de Julia, il comprit qu'il ne pouvait pas se contenter de rester dans le vague.

— Sur ce coup-là, ajouta-t-il, je préférerais me débrouiller seul.

— Comme d'habitude ! railla Marc. Pourtant, je ne vois pas ce qu'il y aurait de répréhensible à ce que ta copine te donne un coup de pouce. Elle l'a déjà fait, non ?

Cette fois, Lorenzo prit la mouche.

— Ce qui signifie ?

— Ben… rien !

— Si dès le début Cécile a appuyé notre demande de subvention, c'est parce qu'elle voit l'intérêt touristique du parc pour la région. Mais que ce soit bien clair, elle n'a aucun pouvoir décisionnaire, son aide est donc limitée.

Il les toisa l'un après l'autre avant d'ajouter :

— On va travailler ? J'ai besoin de toi pour l'échographie, Marc. Après, si tu veux aider Julia, qui doit vacciner les manchots…

Marc jeta un regard de chien battu à Julia, qui lui sourit en retour.

— J'y vais, dit-elle en empoignant une petite caisse de matériel médical.

Elle se dépêcha de sortir, navrée par l'expression de tristesse que Marc n'arrivait pas à dissimuler. Il semblait toujours très atteint par cette rupture qu'il ne digérait pas. Mais il n'y aurait pas de réconciliation, pas de recommencement, l'histoire était terminée, et peut-être n'aurait-elle pas dû commencer. Julia se sentait fautive, malheureuse. Pour couronner le tout, Lorenzo avait l'air de regretter cette fin !

Elle bipa deux stagiaires à qui elle confia la caisse et elle décida de gagner le bassin des manchots à pied afin de profiter des timides rayons du soleil levant. Tout en marchant, elle se demanda s'il arrivait à Lorenzo de se remémorer l'instant de parfaite complicité qu'ils avaient partagé, agenouillés près de la panthère noire à l'agonie. Complicité ou attirance ? N'y avait-il pas quelque chose de trouble entre eux ? Quand elle pensait à lui, elle se sentait fondre, mais quand il était là elle gardait ses distances. Pourquoi ?

« De toute façon, il y a Cécile… Même s'il ne veut pas dire qu'il l'aime, il doit bien être un peu amoureux… Elle est tellement jolie, tellement sûre d'elle ! Trop, peut-être ? Il ne lui accorde pas la place qu'elle demande, on dirait qu'il refuse d'aller plus loin qu'une simple aventure limitée et sans conséquence… Mais elle va tout mettre en œuvre pour arriver à ses fins. Sauf qu'elle ne le connaît pas aussi bien que moi ! Le harceler ne sert à rien, il sait ce qu'il veut, et surtout ce qu'il ne veut pas. Et moi, qu'est-ce que je veux ? Me mettre entre eux ? Sûrement pas, non. J'aimerais vraiment qu'il soit heureux… Pourtant, ça ne me fait pas plaisir de les imaginer ensemble au restaurant, dans un lit… À moins d'avoir changé, Lorenzo est un bon amant. Et il est attentif, tendre… L'est-il avec elle ? Est-ce qu'il lui prépare son café le matin ? Ah, je ne devrais pas y penser ! »

— Julia !

Hélée par l'un des stagiaires qui la suivaient, elle s'arrêta net. Elle s'était trompée d'allée et prenait le mauvais chemin.

— Je suis distraite, ce matin…, se justifia-t-elle en revenant sur ses pas.

Songer à Lorenzo de cette manière ne servait qu'à la mettre mal à l'aise. Pour se changer les idées, elle décida d'expliquer aux stagiaires pourquoi les manchots de Humboldt étaient menacés, et pourquoi par exemple au Chili, où ils avaient été jusqu'à vingt mille, on n'en comptait plus qu'à peine cinq cents. Une parfaite illustration de l'utilité des parcs zoologiques.

*

En fin de journée, à l'heure de la fermeture, Lorenzo reçut un appel de sa mère. Folle de joie, Maude lui annonça que Laetitia était enceinte : une victoire pour elle qui cherchait depuis longtemps à avoir un enfant.

— Yann est aux anges ! Et bien sûr aux petits soins pour Laetitia.

— Alors, tu vas être grand-mère ?

— J'en rêvais. Au moins, l'un de vous quatre s'est décidé à fonder sa famille. Il n'y a rien de mieux dans la vie. Quand comptes-tu t'y mettre ?

— Ce n'est pas à l'ordre du jour.

— Dommage. Mais penses-y si tu veux que le nom « Delmonte » perdure…

— Il y en a beaucoup d'autres en Italie.

— Tu vois ce que je veux dire.

— Oui, maman.

Elle avait fait référence aux fantômes de Claudio et d'Ettore, sachant que Lorenzo y serait sensible, mais il se déroba.

— Et Xavier, demanda-t-il, aussi content que toi ?

— Absolument. Mais il a prévenu Laetitia, pas question qu'on l'appelle « papy » ou « pépé » !

— Comme d'habitude, c'est à lui qu'il pense.

Il perçut le petit rire étouffé de sa mère, qui reprit :

— J'irai passer une ou deux semaines chez eux après l'accouchement pour aider Laetitia. Ils ont trouvé une charmante petite maison, bref, ils nagent dans le bonheur.

Lorenzo espéra que sa sœur ne connaîtrait pas le même drame que Julia et que son bébé arriverait à terme et en parfaite santé.

— Je l'appellerai demain pour la féliciter.

— Fais-le maintenant, mon grand. Tu es très occupé, tu vas oublier.

— D'accord.

— Promis ? Bon, et toi, tout va bien avec Cécile ?

— Je savais que tu finirais par me poser la question, s'amusa-t-il.

— Franchement, je la trouve délicieuse.

— C'est un peu excessif, maman.

Au ton de sa voix, elle dut comprendre l'avertissement. Il refusait de parler de Cécile car il n'avait aucun projet avec elle ; en tout cas il n'en avait pas dans l'immédiat, et il n'en aurait sans doute jamais. Après cette conversation avec sa mère, il appela sa sœur, comme promis, et la félicita chaleureusement. Elle semblait si heureuse et si épanouie que Lorenzo se demanda si Maude n'avait pas raison quand elle affirmait que fonder une famille était ce qu'il pouvait y avoir de mieux dans une vie. Pour sa part, il n'était pas sur la bonne voie pour y parvenir. Néanmoins, il avait rendez-vous avec Cécile, qui devait le rejoindre chez lui.

« Chez lui », ce n'était pourtant pas cette petite maison qu'il habitait si peu. Un endroit quasiment anonyme, sans rien de personnel. Les seuls objets qui comptaient pour lui, comme ce pastel représentant Ettore ou encore les albums photo où figurait Claudio, se trouvaient dans sa chambre du parc sous les toits. Là était son repaire, sa tanière d'homme solitaire qu'il refusait de partager. Il aurait préféré y rester ce soir, quitte à aller grignoter avec Adrien, qui devait être en train de vérifier les comptes de la journée. Mais il s'était engagé, et, résigné, il se dirigea vers le parking.

*

Cécile avait tout prévu. Le dîner, acheté chez un traiteur, chauffait doucement dans le four. Pour l'apéritif, une bouteille de prosecco pourrait servir à faire des Spritz, ou bien être bue seule pour ses délicieuses bulles fines. Avec ce vin italien et quelques tranches de jambon San Daniele, elle était sûre de faire plaisir à Lorenzo. Ce qui n'était pas si simple ! Elle avait également pensé à prendre quelques bûches sur le tas de bois pour préparer une flambée.

Quand il arriva enfin, un peu après vingt heures, il parut surpris de découvrir sa maison si accueillante.

— Tu as bien fait les choses, apprécia-t-il.

Comme souvent, il semblait fatigué, mais il lui adressa un sourire de remerciement qu'elle jugea irrésistible. Ils s'installèrent devant la petite cheminée pour boire un verre, et Cécile entreprit de raconter sa journée. Elle voulait créer l'illusion qu'ils faisaient déjà partie de ces couples heureux de se retrouver le soir. Si seulement elle pouvait lui donner envie de partager son existence avec elle ! Une vie à deux, dans cette maison ou ailleurs, avec des projets d'avenir et des mots d'amour... Sauf qu'il ne disait jamais rien de romantique, qu'il n'était passionné que par les animaux, et que chaque fois qu'elle voulait passer une soirée avec lui elle devait faire beaucoup de route.

Le prosecco aidant, elle éprouva soudain l'envie d'interroger Lorenzo pour le pousser dans ses retranchements. Car, après tout, peut-être était-il trop pudique pour exposer ses sentiments ?

— Il faudrait que nous parlions sérieusement, mon chéri, commença-t-elle de sa voix la plus douce.

— De quoi ?

— D'avenir.

— L'avenir de qui ?

Il était en train de se braquer, mais elle s'était trop avancée, elle ne pouvait plus reculer.

— Le nôtre ! Tu es débordé de travail, je passe des heures sur les routes, on se retrouve trop rarement. Il y a quelque chose qui ne va pas dans notre organisation.

Elle tenta un petit rire qui n'eut aucun écho, et elle se dépêcha d'enchaîner.

— J'aimerais te voir plus souvent, plus sereinement. J'aimerais que nous ayons des projets. En fait, je rêve de vivre avec toi.

Il lui lança un regard indéchiffrable, puis il soupira, posa son verre.

— Cécile… Je suis navré de te décevoir, mais je ne veux vivre avec personne. Je ne l'ai jamais fait et je n'en ai pas le désir.

Il n'invoquait même pas des horaires déments ou n'importe quelle autre excuse, il refusait tout simplement.

— Mais tu me manques ! plaida-t-elle. On passe à peine deux soirées par semaine ensemble, il n'est jamais question de vacances, de voyages… Tout ce que font les gens qui s'aiment.

— Je ne prends pas de vacances, je ne peux pas quitter le parc. J'ai beaucoup voyagé il y a une dizaine d'années, au terme de mes études, et je n'en éprouve pas le besoin pour l'instant. Plus tard, peut-être, mais ce sera à des fins professionnelles, dans les réserves africaines. Je ne sais pas ce que font les gens qui s'aiment, mais… Écoute, Cécile, je suis très bien avec toi, mais il n'est pas question du grand amour. Je ne crois pas t'avoir fait de déclarations, encore moins de promesses que je serais incapable de tenir.

Elle l'écoutait bouche bée, muette d'indignation et de frustration.

— Je comprends ton envie de vivre à deux et de faire des projets, ajouta-t-il doucement, mais ça ne peut pas être avec moi.

Jamais elle ne s'était sentie aussi humiliée. Il venait de la rejeter en lui opposant un refus catégorique. Pas d'avenir ensemble et, pire que tout, pas d'amour, il l'avait dit sans la moindre délicatesse.

— Qu'est-ce que tu fais avec moi, alors ? s'écria-t-elle.

Elle avait le choix entre partir en claquant la porte et fondre en larmes.

— Je m'en vais, décida-t-elle. Puisque je n'ai plus rien à attendre de toi, on peut en rester là !

Empoignant son sac, elle fit mine de se lever, mais il la retint en posant une main sur son bras.

— Non, ne t'en va pas.

C'était ce qu'elle voulait entendre et elle eut une bouffée d'espoir, hélas vite déçu.

— Ne prends pas la route après avoir bu. Dors ici ce soir, je vais rentrer au parc.

Sa froideur était insupportable. S'il semblait redouter un accident, en revanche il n'avait pas de compassion pour le chagrin qu'il lui infligeait.

— Tu es odieux, Lorenzo… Il y a des manières plus élégantes de rompre !

— Je suis désolé, s'excusa-t-il. Vraiment.

— Pourquoi ne m'as-tu pas dit plus tôt que je n'avais aucune importance pour toi ? Tu t'es contenté de me mettre dans ton lit quand ça t'arrangeait, et moi, comme une idiote, je croyais que nous étions en train de vivre une belle histoire ! Tu ne sais pas aimer, tu es bien trop égoïste pour ça, tu n'as de sentiments que pour tes fichus animaux. Et pour eux, tu es prêt à tout. C'est pour ça que tu m'as draguée ?

Elle voulait l'humilier à son tour, mais elle en fut pour ses frais quand il répondit :

— Tu es une très belle jeune femme, mais je ne crois pas t'avoir draguée.

Cette vérité-là était particulièrement blessante. Elle s'était quasiment jetée à la tête de Lorenzo, elle ne pouvait pas le nier. Elle fondit en larmes parce qu'elle n'avait plus d'autre option, et très vite elle se mit à sangloter. Lorenzo s'approcha d'elle, hésitant.

— Je n'ai pas voulu te blesser. Tu es superbe, un autre que moi saura mieux te le dire, et aussi te choyer... Tu me demandes ce que je ne peux pas te donner.

Elle regrettait d'avoir entamé cette discussion décisive. Si elle avait su se taire, ils seraient en train de dîner et de rire, prêts à monter se coucher, à s'enlacer, à faire l'amour. Au lieu de quoi il venait de rompre. Elle sentit qu'il lui effleurait l'épaule, puis la joue.

— Ne pleure pas. Je n'en vaux pas la peine. Et je te demande pardon, je n'aurais pas dû laisser traîner les choses.

Sa main retomba, puis il alla remettre son blouson avant de sortir. Elle avait envie de hurler mais elle demeura silencieuse, fixant la porte qu'il venait de refermer sans bruit. Quelques instants plus tard, elle entendit le moteur de sa voiture démarrer et, presque en même temps, une bûche s'effondra dans la cheminée. Ensuite, le silence s'installa. Machinalement, elle gagna la cuisine pour éteindre le four.

*

— Avant de lâcher des animaux dangereux dans un enclos, tu dois t'assurer qu'il y a bien du courant dans les clôtures électriques. C'est impératif ! Tu fais le tour, et tu vérifies aussi qu'il n'y ait rien d'anormal, comme une branche cassée qui pourrait les blesser ou, pire, leur servir de tremplin.

— Oui, je... J'ai bien fait le tour de l'enclos, mais...

Livide, le stagiaire semblait se recroqueviller sous le regard impitoyable de Marc.

— Mais quoi ? Tu n'as pas vérifié le courant ?

— J'ai oublié.

— Je rêve ! Qui donc était avec toi ?

— Personne.

— Impossible. Tu es sous la responsabilité de Bénédicte.

— Elle était un peu en retard, alors j'ai voulu gagner du temps parce qu'on avait plein de nettoyage à faire ensuite, et quand elle est arrivée je lui ai dit que tout était OK, qu'elle pouvait ouvrir aux lionnes.

— Bordel ! hurla Marc. Et elle l'a fait ?

— Oui…

— Où est-elle maintenant ?

— Elle essaie de les faire rentrer.

Marc prit son talkie-walkie pour appeler plusieurs soigneurs en renfort et prévenir Lorenzo. Puis il rejoignit Bénédicte dans la maison des lions. Les trappes des boxes étaient ouvertes, et Bénédicte y avait déposé des morceaux de viande. En voyant Marc, elle parut soulagée.

— Je ne sais pas comment m'y prendre, avoua-t-elle. Elles sont sorties il y a dix minutes à peine, alors elles n'ont pas envie de revenir, elles veulent rester dehors.

— Si jamais elles s'aperçoivent qu'elles peuvent toucher le fil sans recevoir de décharge, on est fichus !

L'entraînement médical que Bénédicte dispensait aux fauves permettait, en principe, de développer chez eux certains réflexes. Elle ferma et rouvrit les trappes pour que le bruit familier les attire, mais sans succès. Quand Lorenzo arriva, Marc le mit au courant de la situation en quelques mots précis.

— On doit retarder l'ouverture, décida Lorenzo. Je préviens l'accueil d'attendre notre feu vert. Pas question d'avoir du public dans les allées tant que l'enclos des lions ne sera pas sécurisé. L'électricien arrive, il devrait pouvoir régler le problème.

Il s'adressa ensuite au stagiaire, qui attendait, l'air penaud.

— Ne prends *jamais* d'initiative sans en parler d'abord à ton référent.

Le ton glacial de Lorenzo acheva de déstabiliser le jeune homme, qui bredouilla quelques mots d'excuse incompréhensibles. Au bout du couloir qui longeait la rangée de boxes, Nahour, le lion mâle, commençait à s'agiter, furieux d'être encore enfermé alors que ses femelles étaient dehors. Bénédicte tenta de l'amadouer en lui lançant un morceau de viande, mais il se jeta contre la grille et ses rugissements résonnèrent dans tout le bâtiment.

— Tu crois qu'il vaut mieux le lâcher ? interrogea Marc.

— Non, répondit Lorenzo, catégorique. En cas de pépin, on aurait un fauve de plus en liberté.

Il bipa Julia pour lui demander d'apporter des fusils hypodermiques avec des doses d'anesthésiant.

— Je veux pouvoir les neutraliser si besoin est.

Les soigneurs venus en renfort voulurent savoir comment se rendre utiles.

— Surveillez les lionnes de loin. Comptez-les et recomptez-les sans cesse. Leur territoire est grand, alors débrouillez-vous pour ne pas les perdre de vue, je veux savoir en permanence où elles sont. Si l'électricien a besoin d'entrer, on l'accompagnera, Julia et moi, avec les fusils.

— Julia ? s'étonna Marc, les yeux écarquillés.

— Elle s'entraîne au tir, comme moi, et elle sait très bien viser.

— Mais tu vas la mettre en danger !

— Nous sommes vétérinaires, Marc. Nous allons faire au mieux pour les animaux, sans prendre de risques, je te le promets.

Julia les rejoignit, apportant les deux mallettes contenant les fusils. Ils commencèrent à les monter et à les charger, silencieux l'un comme l'autre.

— On va se tenir prêts, finit par dire Lorenzo. Si jamais les lionnes arrivent à sortir de leur territoire, ou si l'électricien doit y pénétrer, il faudra réagir au quart de tour.

— Sans problème, affirma Julia.

Elle échangea un rapide regard avec Lorenzo, où il put lire toute sa détermination et son sang-froid. L'électricien arriva enfin et commença ses vérifications, d'abord dans le bâtiment, ce qui provoqua de nouveaux rugissements de Nahour, qui s'impatientait.

De l'autre côté de l'allée, dans leur immense volière, les gibbons poussaient des cris en passant de branche en branche.

— Les lionnes se sont regroupées, annonça Marc, qui maintenait le contact avec les soigneurs. Elles sont couchées sur le rocher plat, mais elles semblent un peu inquiètes de l'absence de Nahour. Chaque fois qu'il rugit dans son box, elles se relèvent.

Lorenzo consulta sa montre puis rappela l'accueil pour s'assurer qu'on attendrait bien son ordre avant d'ouvrir au public. Celui-ci commençait à se masser devant l'entrée du parc.

— En principe, tout fonctionne normalement, déclara l'électricien en sortant du bâtiment. Mais il faut tout de même vérifier que le courant passe bien partout, puisque ça n'a pas été fait ce matin. Moi, je vous préviens, je ne suis pas chaud pour entrer chez les lions quand ils y sont !

— Je vais m'en charger, décida Lorenzo.

— Non, intervint Marc. Toi et Julia, vous tenez les fusils, vous ne pouvez pas vous occuper de quoi que ce soit d'autre. En tant que chef animalier, c'est moi qui vais y aller. Avec vous deux pour me couvrir, je n'ai pas peur.

Bénédicte surgit soudain entre eux, un doigt sur les lèvres. D'un signe de tête, elle désigna l'enclos. Les lionnes, lasses d'attendre Nahour, trottinaient en direction des trappes ouvertes sur l'arrière du bâtiment.

— Personne ne bouge, personne ne parle, chuchota Lorenzo.

Les animaux avaient l'habitude de voir des silhouettes d'humains au-delà des grillages, et les lionnes ne prêtèrent pas attention au petit groupe. Bénédicte se glissa de nouveau dans le bâtiment, et ils l'entendirent lancer d'une voix forte les formules qu'elle utilisait chaque soir pour rentrer les fauves. Les lionnes disparurent à l'intérieur, et juste après les trappes se fermèrent.

Ceux qui avaient retenu leur souffle laissèrent échapper un long soupir de soulagement. Lorenzo se tourna alors vers le stagiaire responsable de l'incident.

— Tu as vu la pagaille que tu as provoquée ? Le secteur des fauves n'est pas fait pour toi. Et tu as décrédibilisé Bénédicte en agissant aussi légèrement. Tu ne seras pas surpris si nous n'avons plus confiance en toi.

Il lui tourna le dos, estimant la leçon suffisante, et s'adressa à Marc :

— Dans ta réunion quotidienne avec les stagiaires, explique-leur à quel point ce genre de négligence peut être catastrophique. Bien, l'incident est clos, je remercie tout le monde. Et toi…

Il s'approcha de Marc, lui posa une main amicale sur l'épaule.

— Merci de ton professionnalisme. Tu sais prendre tes responsabilités, je t'en suis reconnaissant. Je te laisse vérifier la clôture ?

Un peu embarrassé, Marc se contenta de sourire. L'espace d'un instant, les deux hommes éprouvèrent une impression de parfaite complicité dans le travail, celle qu'ils avaient ressentie durant des années avant l'arrivée de Julia. Même rivaux, ils avaient gardé la certitude qu'ils pouvaient compter l'un sur l'autre, et ce qui venait de se passer leur prouvait qu'ils avaient eu raison.

Lorenzo et Julia démontèrent les fusils et les rangèrent dans les mallettes, heureux de ne pas avoir eu à s'en servir, puis Lorenzo joignit l'accueil pour annoncer qu'on pouvait ouvrir le parc au public. Il venait de monter dans sa voiture de service quand son portable sonna. Consultant l'écran, il découvrit que l'appel émanait de la pharmacie de Xavier. Saisi d'un mauvais pressentiment, il répondit.

10

— Ta mère a eu un accident sur l'autoroute ! hurla Xavier d'une voix rendue aiguë par l'anxiété.

Saisi, Lorenzo mit deux secondes à réagir.

— Tu m'entends, Laurent ? Et bien sûr, tu étais injoignable !

Durant toute l'opération avec les lions, Lorenzo avait en effet coupé son portable, qu'il venait de réactiver machinalement.

— Un accident ? répéta-t-il, atterré.

— Oui !

— Grave ?

— Oui !

— Mais où ? Pourquoi ?

— Parce que nous nous sommes disputés une fois de plus, à cause de toi ! Elle voulait absolument aller te voir, et ta sœur par la même occasion, mais moi j'en ai assez de rester seul, j'ai déjà fait l'effort de l'accompagner et je le lui ai dit, alors elle est partie comme une folle, et là, les flics viennent de m'appeler, elle est à l'hôpital !

— Mais où, bon Dieu ?

— À Lons-le-Saunier, au centre hospitalier.

— Qu'est-ce qu'elle a ?

— Je n'en sais rien ! J'ai réussi à joindre un médecin des urgences, elle est en soins intensifs. Il n'a pas donné de détails, il semble qu'un malaise cardiaque soit à l'origine de l'accident. Et la présence de la famille est souhaitable. Tu entends ça ? Souhaitable ! Ah, j'en suis malade… Valère vient me chercher d'ici à une heure et nous partirons aussitôt. Mais tu es plus près, vas-y maintenant !

— Je me mets tout de suite en route.

— Dès que tu apprends quelque chose, tu m'appelles, sinon je vais devenir dingue !

— Entendu.

— Je te verrai là-bas, dépêche-toi…

Sa voix s'étranglait, il coupa la communication. Lorenzo resta une seconde sans réaction, assommé, puis il descendit de voiture et rejoignit en hâte Marc et Julia, qui étaient toujours en train de discuter près du grillage.

— J'ai un gros problème, je dois partir immédiatement pour Lons-le-Saunier. Ma mère a eu un accident et semble dans un état grave.

— Maude ? s'écria Julia. Comment est-ce arrivé ?

— Je l'ignore, je n'ai aucun détail.

— Oh, mon pauvre… Qu'est-ce que je peux faire pour t'aider ?

Elle semblait si bouleversée qu'il en fut ému. Mais il n'avait pas le loisir de se laisser aller à ses émotions, il devait foncer à l'hôpital.

— Je vous confie le parc à tous les deux, d'accord ?

Julia fut la première à répondre spontanément :

— Bien sûr. Vas-y, on s'occupe de tout.

— Ne t'inquiète pas pour le parc, on gère, renchérit Marc.

— Ne roule pas trop vite, et appelle pour donner des nouvelles !

Lorenzo repartit en hâte vers sa voiture, vaguement mal à l'aise à l'idée d'avoir réuni Marc et Julia dans cette responsabilité commune.

*

— Si, elle en faisait une obsession. Le parc de Laurent, le restaurant d'Anouk…

— Elle s'ennuyait, papa. À force d'être seule toute la journée dans cet appartement où elle n'a plus rien à faire, elle rêvait sûrement d'évasion.

Valère roulait vite, sans tenir compte des limitations de vitesse, et Xavier lui demanda de lever le pied.

— Si nous avons un accident aussi, on sera bien avancés !

Il jeta un énième regard à l'écran de son téléphone, qu'il gardait à la main.

— Pourquoi Laurent n'appelle-t-il pas ? Il doit y être à l'heure qu'il est !

— Il n'a peut-être pas encore vu de médecin.

— Ou bien il n'est pas parti sur-le-champ. Quitter son foutu parc, c'est sûrement trop lui demander.

— Ne sois pas injuste. Il adore maman, il a dû se précipiter.

— Admettons… Mais tu sais, moi aussi j'adore ta mère.

— Je sais, papa.

— On se dispute, c'est vrai. Et toujours pour les mêmes raisons. Ton demi-frère !

— « Demi » est très réducteur. Lorenzo est mon frère à part entière.

— En tout cas, il n'est pas mon fils. Or j'entends parler de lui du matin au soir. Ta mère ne cesse de chanter ses louanges. Elle est complètement bluffée par le zoo, elle voit là le summum de la réussite. Eh bien, pas moi ! En revanche, Anouk, oui, elle m'épate.

— Anouk et Lorenzo vivent de leur passion, je comprends que maman les admire.

— Enfin, tu ne peux pas comparer ! Anouk est partie de rien, elle n'a pas fait d'héritage, alors que Laurent a eu les terres de son grand-père.

— Pour ce qu'elles valaient…

— Peut-être, mais sans elles il serait devenu un petit vétérinaire anonyme.

— Pourquoi « petit » ? Sans elles, comme tu dis, il serait parti au bout du monde, et il aurait tout de même soigné des animaux sauvages.

Xavier se renfrogna, regarda de nouveau l'écran de son téléphone.

— On y sera dans moins de deux heures, papa, et Lorenzo appellera d'ici là.

Concentré sur la route, Valère jeta néanmoins un coup d'œil à son père. Le chagrin et la détresse se lisaient sur son visage fatigué. Dans quel état de santé était-il ? À soixante-sept ans, il aurait déjà dû prendre sa retraite, mais avec la pharmacie il n'en était pas question. Pourtant, s'il cessait de travailler, il pourrait enfin s'occuper de sa femme, l'emmener en voyage, pratiquer avec elle des activités de couple… à condition qu'elle aille bien.

— Tu as prévenu Laetitia ?

— Non, je ne veux pas l'affoler tant que je n'en sais pas plus. On doit la préserver, je te rappelle qu'elle est enceinte.

La sonnerie de son téléphone le prit par surprise, et il faillit le lâcher.

— Laurent ? Enfin ! Alors ?

Il écouta, le front plissé, hocha la tête, soupira.

— Très bien, nous sommes en route. Reste avec elle.

Se tournant vers Valère, il annonça :

— Ta mère a eu un infarctus, ce qui explique qu'elle ait perdu le contrôle de la voiture. Elle a percuté la glissière et fait un tête-à-queue. Par chance, sa ceinture et l'airbag l'ont protégée, ses jours ne sont pas en danger.

En finissant sa phrase, il dut réprimer un hoquet. Il était si soulagé que les larmes étaient en train de couler sur ses joues.

— Elle est bien, tu sais, cette voiture... Elle est solide ! Ta mère n'aimait pas trop la conduire, pourtant elle est partie avec... On arrive dans combien de temps ?

— Je te l'ai déjà dit. Encore au moins une heure et demie. Calme-toi. Tu sais maintenant que maman n'est pas en danger, et elle n'est pas seule puisque Lorenzo est avec elle.

— Oui... Je suis content qu'il y soit. Après tout, c'est lui qu'elle voulait voir.

Surpris par cette réflexion qui, pour une fois, ne recelait aucune agressivité, Valère acquiesça en silence.

*

Maude s'accrochait à la main de Lorenzo, qu'elle serrait très fort. Reliée à des appareils qui surveillaient son rythme cardiaque et sa tension, un tuyau d'oxygène dans le nez, elle trouvait néanmoins la force de sourire.

— Je ne me souviens de rien, répéta-t-elle. J'ai ressenti une douleur bizarre, d'abord dans le bras, ensuite c'était comme si on me comprimait les côtes, j'avais très mal, et puis j'ai vu le paysage basculer. Après, plus rien, un trou noir. J'ai repris connaissance dans ce lit, avec ces machines qui bipent...

— Ne te fatigue pas, maman. Ne parle pas.

— C'est mon cœur qui lâche ?

— Il a eu un raté, mais maintenant ça va, il est reparti pour un grand tour !

— Quelle injustice...

— Pourquoi ?

— Je ne suis pas si vieille, et je bois très peu, je n'ai jamais fumé, je fais attention à ce que je mange ! Alors, pourquoi moi ?

— Il n'y a pas de règle. Même sans facteur aggravant, le cœur peut avoir ses faiblesses. On va te soigner, faire plein d'examens, et au vu des résultats tu auras le traitement adéquat.

— Je vais rester à l'hôpital ? s'inquiéta-t-elle.

— Quelques jours, oui.

— Ah... Et Xavier ?

— Il est en route, avec Valère. Anouk viendra dès qu'elle pourra.

— Mais je n'ai pas besoin d'Anouk ! Il faut la laisser travailler. Personne ne peut tenir les fourneaux à sa place.

— Au point où elle en est, ça ira. Ses seconds connaissent les recettes qu'elle a inventées, ils n'ont qu'à les reproduire.

— Et toi ? Le parc ?

— Ils se débrouilleront sans moi. Tant qu'un problème ne survient pas, la machine est sur des rails.

Refusant de penser à l'incident du matin avec les lionnes, il ajouta :

— Le plus important, c'est toi, maman.

— Tu es inquiet ?

— Non, répondit-il d'un ton catégorique. Tu vas bien. D'ici peu, tu seras de retour chez toi.

Une infirmière entra dans la chambre, obligeant Lorenzo à lâcher la main de sa mère et à se lever.

— J'ai des soins à faire, s'excusa l'infirmière.

— Très bien. Je reviendrai tout à l'heure, maman. Je vais boire un café en attendant, et je ne t'en propose pas !

Maude sourit, non pas tant de la plaisanterie de Lorenzo que de voir l'infirmière subjuguée par lui. La plupart des femmes craquaient devant son fils aîné ; en tant que mère, elle se sentait flattée de son succès.

L'infirmière souleva la chemise fournie par l'hôpital et posa des capteurs sur le torse de sa patiente pour l'électrocardiogramme. Maude se demanda ce qu'était devenu son sac de voyage. Dans la carcasse de la voiture ? Celle-ci avait dû être remorquée jusqu'à un garage, il faudrait que Xavier se renseigne. En attendant, Maude était démunie de tout, elle n'avait même pas de brosse à dents, et elle songea que, finalement, une visite d'Anouk ne serait pas superflue. Sa fille pourrait lui acheter ce dont elle aurait besoin durant son séjour ici. Elle ne s'imaginait pas demander à des hommes d'aller choisir des chemises de nuit et des slips.

— Votre fils a l'air très sympathique, déclara l'infirmière.

Maude eut un nouveau sourire. Ah, Lorenzo… Quand il était entré dans sa chambre, premier visage familier depuis l'accident, elle s'était sentie si soulagée ! Il lui avait tout expliqué avec calme, s'était montré rassurant, l'avait apaisée. Et bientôt Xavier allait arriver à son tour avec Valère. Elle serait bien entourée, à condition qu'une nouvelle dispute n'éclate pas entre beau-père et beau-fils. Connaissant Xavier par cœur, elle le savait capable d'accuser Lorenzo d'être à l'origine du départ en fanfare de Maude. Car elle avait quitté l'appartement en claquant la porte. Elle était si fatiguée de ces incessantes querelles ! Se sentant tour à tour coupable vis-à-vis de son fils aîné ou de son mari, redoutant de ne pas assez défendre l'un ou l'autre, se reprochant de prendre parti, elle était coincée entre le marteau et l'enclume. Or elle les aimait tous les deux.

— Détendez-vous, madame, dit gentiment l'infirmière. Je dois vous faire une piqûre, c'est l'affaire d'une seconde. Ensuite, votre fils pourra revenir.

Son fils, oui… Si elle s'était tuée dans cet accident, Lorenzo se serait retrouvé orphelin. Soudain, une pensée inepte lui traversa l'esprit. Est-ce que Claudio l'aurait accueillie au ciel ? Mais y avait-il un ciel, ou seulement le néant de l'éternité ?

— Voilà, c'est fini ! Je reviendrai prendre votre tension tout à l'heure. Essayez de vous détendre et de penser à des choses agréables, d'accord ?

Maude lui rendit son sourire sans se forcer. Des choses agréables, elle en avait beaucoup dans sa vie. Par exemple, la naissance prochaine d'un petit-fils ou d'une petite-fille… Elle avait fait promettre à Lorenzo de ne pas inquiéter inutilement Laetitia, et donc de ne pas l'appeler. D'ici à quelques mois, Maude serait grand-mère, et elle comptait bien en profiter.

Sentant ses paupières se fermer, elle se laissa aller au sommeil.

*

Lorenzo était allé jusqu'au bout du couloir, espérant trouver un distributeur de boissons. Il avait failli sortir son téléphone pour appeler le parc, mais il s'en était abstenu. À quoi bon harceler des gens qui faisaient parfaitement leur travail ? Il avait confiance en Marc, qui, quels qu'aient pu être leurs différends, demeurait un chef animalier hors pair. Faudrait-il vraiment qu'il s'en aille ? Mais s'il restait, jamais Lorenzo ne pourrait tenter de…

De quoi ? Reconquérir Julia ? Ne confondait-il pas passé et présent, tendresse et amour, souvenirs et regrets ? D'ailleurs, pas seulement des regrets mais aussi des remords d'avoir mal agi avec elle à l'époque où elle avait besoin de lui. Combien de temps avait-elle passé dans un hôpital, au chevet de sa mère, comme il était en train de le faire lui-même aujourd'hui ? Sauf que Maude allait s'en remettre, alors que la mère de Julia était morte dans une unité de soins palliatifs. Et que le soir, en rentrant chez elle, Julia n'avait personne pour l'épauler, ni rien pour la consoler à part quelques cartes postales de l'homme qu'elle aimait.

Enfin, et c'était le pire obstacle, Julia n'avait sûrement pas envie qu'il tente de la séduire. Son attitude restait amicale, mais Lorenzo ne lui plaisait plus. La preuve, elle était tombée amoureuse de Marc, avait envisagé de passer toute sa vie avec lui. Certes, leur histoire était finie à présent, mais ne serait-il pas très malvenu de se précipiter sur elle pour la draguer ?

Il but deux cafés coup sur coup, et, tandis qu'il empruntait à nouveau le couloir, il s'entendit héler.

— Attends-nous, Lorenzo !

Valère le rattrapa, puis Xavier, tout essoufflé, les dépassa pour foncer vers la chambre en criant :

— Numéro neuf, c'est ça ?

Mais il ouvrait déjà la porte et disparut.

— Comment va-t-elle ? s'enquit Valère d'un air soucieux.

— Le mieux possible. Tu as dû rouler comme un fou, non ?

— Un peu. J'espère qu'il n'y avait pas de radars, sinon je n'ai plus de permis. Mais nous étions tellement inquiets !

— Pourtant, Xavier t'a sûrement demandé de ralentir, il a peur en voiture.

Valère eut enfin un sourire.

— Allez, dis-moi tout pour maman.

— Elle a eu un petit infarctus. Sur le coup, la douleur est très violente et elle a perdu le contrôle. Dans l'accident, grâce à sa ceinture de sécurité, elle n'a eu que des contusions et des hématomes sans gravité. Ils vont lui faire passer des examens pour un bilan cardio. Je pense qu'elle a négligé sa santé et qu'elle le paie aujourd'hui. Xavier aurait dû vérifier qu'elle était régulièrement suivie. Je ne suis même pas certain qu'ils aient un médecin traitant, l'un comme l'autre. Parce qu'il est pharmacien, il croit pouvoir gérer. Et il n'aime pas les toubibs, justement parce qu'il est pharmacien !

Cette fois, ils rirent ensemble, se souvenant que dans leur enfance Xavier remontait des médicaments de la pharmacie et pratiquait l'automédication pour toute sa famille.

— Viens, ajouta Lorenzo, elle sera contente de te voir.

— On ne s'est pas arrêtés pour acheter des fleurs.

— Tant mieux, elles sont mal tolérées dans les hôpitaux.

Ils gagnèrent la chambre neuf, où Xavier avait pris la place occupée par Lorenzo un peu plus tôt. Il serrait à son tour la main de Maude dans les siennes, et il semblait très ému.

— Je n'aurais pas supporté qu'il arrive quelque chose de grave à votre mère, murmura-t-il.

Il ne quittait pas Maude des yeux, et il ajouta doucement, à son intention :

— Mais aussi, quelle idée de partir comme ça, sur un coup de tête…

Lorenzo n'avait jamais vu son beau-père aussi bouleversé. Celui-ci n'avait pas l'habitude de montrer ses sentiments, et ses marques de tendresse étaient rares. Pourtant, à l'évidence, malgré toutes les années de mariage, malgré les disputes, il aimait profondément sa femme.

— Puisque tu voulais tellement aller voir Laurent et Anouk, déclara-t-il soudain, tu pourrais passer ta convalescence chez eux ?

— Chez eux ? répéta Maude, stupéfaite.

— Un peu chez l'un, un peu chez l'autre. À condition de ne pas te fatiguer. Enfin, on verra bien ce que te conseilleront les médecins pour ta sortie. Peut-être une maison de repos d'abord...

Il leva la tête et planta son regard dans celui de Lorenzo.

— Ça ne te gênerait pas d'accueillir ta mère chez toi ? Vu que tu n'y es jamais, je me disais qu'on pourrait s'y installer quelques jours.

— Tu viendrais avec moi ? intervint Maude en écarquillant les yeux. Mais... et la pharmacie ?

— Ils sont assez nombreux pour se passer de moi. Alors, Laurent ?

— Oui, bien sûr que oui, vous êtes les bienvenus.

— Après, ma chérie, on ira chez Anouk. Au moins, là-bas, on mangera bien. Et quand il faudra vraiment que je rentre à Paris, si tu n'es pas tout à fait rétablie tu resteras chez ta fille. Voilà. En attendant, tant que tu es à l'hôpital, je vais me trouver une chambre d'hôtel ici. De toute façon, je dois m'occuper de la voiture, de l'assureur...

Maude semblait heureuse en l'écoutant planifier leur avenir immédiat, un avenir dont Lorenzo n'était pas exclu, pour une fois.

— Parfait, on vous laisse, déclara Valère. Nous, on va boire un verre !

Il précisa à son père qu'il se chargeait de leur trouver des chambres d'hôtel dans le périmètre de l'hôpital, à lui pour une seule nuit et à Xavier pour une durée indéterminée.

Les deux frères partirent ensemble, conscients qu'il fallait laisser Maude et Xavier seuls. Après quelques minutes de marche, ils finirent par s'installer dans un pub irlandais où ils commandèrent des bières.

— Je n'aurais pas cru voir un jour Xavier aussi atteint et aussi… arrangeant, déclara Lorenzo.

— Il a eu la trouille de sa vie. Et sans maman, papa serait complètement perdu. Donc, même s'il faut en passer par une sorte de réconciliation avec toi, il est prêt à tout. En ce qui me concerne, je serais assez content que vous cessiez de vous bouffer le nez. Bon, surtout lui, d'accord, mais tu ne l'épargnes pas non plus.

— Il a fallu que j'attende d'être majeur pour répliquer. Ado, je te rappelle que j'ai dû avaler des couleuvres. Et je ne discute même plus de ce prénom français qu'il a cru pouvoir m'imposer. Mais je reconnais que, tout à l'heure, il était assez émouvant.

— En vieillissant, il devient moins dur, moins sûr de lui. Jusqu'ici, tu as été leur pierre d'achoppement, le sujet sur lequel ils n'étaient jamais d'accord. Pourtant, tout à l'heure dans ma voiture, il m'a avoué qu'il regrettait.

— Quoi ?

— De s'être buté, d'avoir continué à contrarier maman. Quand tu as quitté la maison, il y a bien longtemps, il aurait pu laisser tomber au lieu de s'obstiner à faire de toi sa cible. Tu n'étais plus là, pourtant tu restais entre eux. Mais après la peur bleue d'aujourd'hui, je crois qu'il veut faire la paix avec toi.

Lorenzo ne répondit pas tout de suite. Le contentieux qui l'opposait à son beau-père était trop ancien et avait été trop violent pour être effacé d'un coup.

— On verra, finit-il par dire.

Ce qui ne l'engageait à rien. Pour sa mère, toutefois, il savait qu'il ferait l'effort de tendre la main à Xavier. Valère commanda une autre bière tandis que Lorenzo se contentait d'un café.

— Tu m'avais parlé d'une nouvelle petite copine ? risqua Lorenzo d'un ton innocent.

— Ah, je savais que tu me poserais la question ! Oui, j'ai fait une rencontre. Disons… plus intéressante que bien d'autres.

— Comment s'appelle cette rencontre ?

— Élodie.

— Et tu serais prêt à tomber amoureux ?

— Peut-être bien. D'ailleurs, quand je vois les parents s'aimer encore si fort… Eh bien, ça fait envie, non ?

Instantanément, Lorenzo pensa à Julia. Ils s'étaient tellement et si bien aimés tous les deux !

— Bonne chance avec Élodie, dit-il en levant sa tasse vers son frère.

— Et toi, que dois-je te souhaiter ? Cécile est encore d'actualité ?

— Non.

— Alors, qui ?

Valère scruta Lorenzo avant d'insister, d'un air amusé :

— Allez, dis-le ! Puisque tu penses toujours à elle…

— Je n'y arriverai pas. Elle ne le souhaite sûrement pas. Et de toute façon ce n'est pas possible sous les yeux de son ex-compagnon.

— Et ceci, et cela. Mets-toi toutes les barrières que tu peux, ça ne changera rien au bout du compte. Si tu veux Julia, tu l'auras.

— Par quel miracle ?

— Pas besoin de baguette magique, ton obstination devrait suffire. Cite-moi une seule chose qui t'ait résisté ?

— Ton admiration est très flatteuse, petit frère, mais Julia n'est pas une chose, et je ne suis pas Superman.

— Ne tourne pas tout en dérision ! À quoi bon attendre qu'elle ait trouvé quelqu'un d'autre, ou que vous soyez trop vieux ? Tu as peur qu'elle t'envoie sur les roses ? C'est de l'orgueil mal placé. Prends-toi une claque au besoin, mais au moins tente ta chance.

Il semblait si convaincu que Lorenzo ne voulut pas le contredire, même s'il restait dubitatif.

— Je dois rentrer, maintenant, annonça-t-il.

— Bon, je me mets en quête d'un hôtel.

Devant le pub, ils se donnèrent une accolade maladroite, aussi tristes l'un que l'autre de se séparer.

— Retourne à Paris sans t'inquiéter, Valère, je reviendrai voir maman, et de toute façon elle a Xavier pour veiller sur elle.

— Quand elle sera installée chez toi, j'essaierai de descendre passer le week-end avec vous. D'ici là, prends soin de toi.

Lorenzo était impatient de rejoindre le parc, et il se hâta vers sa voiture.

*

Marc lut et relut le courrier, à la fois excité, incrédule, réjoui et déçu. Toutes ces émotions se bousculaient dans sa tête tandis qu'il parcourait de nouveau le courrier arrivé d'Angleterre le matin même. L'important parc animalier auquel il avait écrit, parmi d'autres candidatures, lui apportait une réponse favorable. Au vu de son expérience, et sous réserve de la recommandation de son actuel employeur, il avait toutes les chances d'obtenir le poste de chef animalier après un entretien et une visite dont la date devait être rapidement fixée.

La lettre ayant été envoyée directement au parc, on venait de la lui donner à l'accueil. Quittant la feuille des yeux, il regarda autour de lui. Partir ? Ne plus voir Julia ? Dire adieu à ses équipes ? Et se remettre à l'anglais, qu'il avait pratiqué lors d'une première mission de quelques mois à Londres ?

Bien sûr, il avait souhaité partir, il avait adressé son CV à plusieurs parcs d'Europe en espérant une réponse positive, mais soudain il doutait. S'éloigner de Julia, si dur que ce soit, lui permettrait peut-être de l'oublier, de tourner la page sur ce morceau de sa vie. Le bébé qui n'était pas né, le mariage qui n'avait pas eu lieu, tout cet échec au goût très amer qu'il devait laisser derrière lui.

La recommandation de Lorenzo serait élogieuse, Marc le savait. Ils avaient tellement bien travaillé ensemble ! Et qui donc Lorenzo allait-il trouver pour le remplacer ? Parmi les soigneurs, deux ou trois avaient la formation et l'ancienneté requises, son successeur pourrait être choisi parmi eux, à moins que Lorenzo ne préfère embaucher.

— Mauvaise nouvelle au courrier ? s'enquit Julia en le rejoignant.

Elle désignait la feuille qu'il avait toujours à la main et qu'il lui mit sous le nez.

— Vois toi-même…

Ils avaient passé la journée à tout surveiller afin d'éviter le moindre incident en l'absence de Lorenzo, et la fatigue commençait à se faire sentir. Julia parcourut la lettre avant de s'exclamer :

— C'est formidable ! Tu es content ?

— À moitié. J'aurais préféré que la vie tourne autrement.

— Marc…

— Je ne te reproche rien. Ça ne se commande pas. Pendant un moment, tu m'as rendu très heureux. Ensuite, je l'avoue, très malheureux. Alors il vaut mieux pour moi que je m'en aille.

— Même si tu ne le crois pas, je vais te regretter.

— Comme chef animalier ?

— Aussi.

Il acquiesça, l'enveloppa d'un regard triste et s'éloigna, tête basse. Julia le suivit des yeux, le cœur serré. La vie était pleine de surprises et de contradictions. Devrait-elle partir à son tour ?

— Tout s'est bien passé ?

Elle sursauta et se retourna, troublée.

— Oh, tu es rentré... Comment va ta mère ?

— Pas trop mal.

— Ici, la journée a été calme. Rien de particulier à signaler. Sauf qu'il y a eu un monde fou !

— Tant mieux.

— Tu devrais aller voir Marc.

— Pourquoi ?

— Il a un truc à t'annoncer.

— Très bien, je vais le biper.

— Et puis Cécile est passée.

— Qu'est-ce qu'elle voulait ?

— Te voir, bien sûr !

— Je ne crois pas, non. Je lui téléphonerai.

Il lui effleura l'épaule et partit à grands pas vers la clinique vétérinaire.

*

Quelques jours plus tard, le printemps était bien installé, avec un soleil déjà chaud. Toute la végétation du parc devenait luxuriante et les jardiniers avaient fort à faire pour la contenir. Au détour des allées, les massifs débordaient de fleurs dans une explosion de couleurs. Devant l'espace restauration d'Adrien, une trentaine de tables accueillaient les visiteurs à l'ombre de grands arbres, et une trentaine d'autres à l'intérieur s'offraient à ceux qui craignaient les insectes.

Attristé par la démission de Marc, Lorenzo avait publié une annonce sur le site du parc pour recruter un chef animalier. Maude et Xavier devaient arriver le lendemain pour s'installer dans la maison de Lorenzo, qui n'aurait plus à multiplier les allers-retours entre le parc et Lons-le-Saunier. Maude récupérait, mais elle était encore fragile et prévoyait de rester au moins deux semaines chez son fils avant d'aller chez sa fille.

Julia passait beaucoup de temps avec les animaux, même quand sa présence n'était pas requise, et Lorenzo avait l'impression qu'elle le fuyait. Mais il se taisait, sans chercher à l'approcher plus que nécessaire, persuadé que le départ prochain de Marc la culpabilisait.

La fréquentation du parc était en hausse, comme chaque année depuis sa création. Lorenzo savait que le public aurait pu être encore plus nombreux, mais il continuait de refuser toute innovation qui pouvait s'apparenter à un spectacle. Il répétait que les espèces qu'il abritait n'étaient pas des bêtes de cirque, et que le parc Delmonte n'était pas un parc d'attractions. Sa seule concession avait consisté à indiquer les heures auxquelles les soigneurs nourrissaient les animaux, ce qui permettait aux visiteurs d'assister, par exemple, aux repas des fauves.

Ce matin-là, Marc était absent car il s'était rendu à Londres pour son entretien d'embauche. Il avait demandé à Lorenzo, s'il signait comme prévu son contrat, d'écourter son préavis afin qu'il puisse partir le plus vite possible, tant la séparation lui semblait dure. Mais sa décision était prise, il ne reviendrait pas en arrière.

Après la réunion matinale quotidienne avec les soigneurs, Lorenzo et Julia étaient passés voir Maya, la doyenne des éléphants, qui manifestait des signes de nervosité. Chez les pachydermes, il fallait vite résoudre les problèmes pour éviter tout énervement susceptible de provoquer une catastrophe en raison de leur taille et de leur force. Après quelques minutes d'observation, tandis que Julia restait perplexe, Lorenzo estima que Maya pouvait être en gestation.

— À son âge ? s'étonna Julia.

— Elle n'est pas si vieille. En tout cas, c'est une possibilité. Je demanderai aux soigneurs d'être attentifs.

— Et tu crois qu'ils n'auraient pas remarqué un accouplement dans l'enclos ?

— Chez les éléphants, ça dure en moyenne trente secondes !

— Ah, oui… À cause de leur poids, c'est vrai.

Comme ils n'avaient pas pris de voiture de service, ils repartirent à pied, sans se presser, pour profiter du soleil. Devant l'enclos du jaguar noir, ils patientèrent quelques minutes avant de le repérer, allongé sur une branche basse.

— Quand je viens par ici, j'ai toujours une pensée pour Malika, soupira Julia. Le premier fauve qui m'ait vraiment séduite… Elle avait de si beaux yeux verts !

— Ceux de Tomahawk ne sont pas mal non plus. Et puis… C'est difficile, je sais, mais il ne faut pas trop s'attacher à nos animaux, parce que entre les transferts et les décès on passerait notre vie à pleurer.

— Tu dis ça de façon très docte, mais je connais ton affection pour eux. Tu as toujours su cacher tes émotions.

— Pas les cacher, les dominer.

Ils longèrent plusieurs enclos, parvinrent à celui des girafes, qui venaient de sortir de leur bâtiment et gambadaient.

— As-tu eu des réponses à ton annonce ? s'enquit Julia.

— Deux, mais rien de convaincant. Le remplacement de Marc ne va pas être simple.

Évoquer Marc le ramena à la question qu'il retournait dans sa tête depuis plusieurs nuits. Lui qui, en général, s'endormait en pensant aux tâches du lendemain ou à quelque cas difficile qu'il aurait à traiter ne songeait qu'à Julia. Ravivée par la démission de Marc, son obsession ne le lâchait plus.

— Tu n'as pas peur que Cécile cherche à se venger ? demanda soudain Julia.

— De moi ?

— Elle pourrait te porter tort auprès du conseil régional.

— Je ne la crois pas capable d'une telle mesquinerie.

— Sait-on jamais ?

— Alors, j'espère que non, mais ça ne change rien. Je n'étais pas sorti avec elle pour qu'elle m'aide, et je ne serais pas resté avec elle pour éviter qu'elle me nuise.

— Et pourquoi ça n'a pas marché entre vous ? C'était pourtant bien parti.

— Elle m'envahissait. Du moins, j'en avais la sensation, ce qui prouve que je n'étais pas attaché à elle.

— Tu protèges ton territoire ? Ton indépendance ?

— Je serais pourtant prêt à oublier mon indépendance et à partager mon territoire.

— Vraiment ?

Julia semblait s'amuser avec toutes ces questions insidieuses, et il décida de prendre son courage à deux mains pour lui parler sincèrement.

— Il faut que je te dise quelque chose, Julia… Puisque Marc ne sera bientôt plus là, accepterais-tu de dîner avec moi ?

Devant son silence, il ajouta :

— Une fois qu'il sera parti, bien sûr.

— Dîner avec toi, oui, mais pour quelle raison ?

Elle l'obligeait à se livrer davantage, à courir le risque qu'elle se moque de lui, mais il passa outre.

— Je reprendrais bien les choses où nous les avons laissées il y a très longtemps.

— À savoir ?

— Quand tu m'as signifié que je n'étais plus qu'un ami pour toi.

— Te souviens-tu de tout, Lorenzo ?

Le ton de Julia s'étant brusquement durci, il comprit que la partie ne serait pas facile.

— Oui, tout, mes absences, mon égoïsme... Je te dois des excuses que je ne t'ai peut-être pas présentées à l'époque. Je m'en suis beaucoup voulu, mais tu m'as puni en ne répondant pas à un seul de mes appels, à aucune lettre...

— J'étais occupée à accompagner ma mère dans ses derniers jours et à pleurer sur elle plutôt que sur toi. Après son enterrement, j'ai compris que je ne pourrais pas te pardonner.

— Jamais ?

— Oh, du temps a passé...

— Suffisamment ?

Elle s'adossa à la barrière pour lui faire face.

— Je l'ignore.

— Accorde-moi ce dîner.

— Tu auras les fleurs, la bague ? Tout ce dont je rêvais à l'époque ? Allons, Lorenzo, on a vieilli toi et moi, nous ne sommes plus les mêmes personnes.

— Raison de plus pour commencer une autre histoire. Différente. Je ne sais pas ce dont tu rêvais, mais moi, aujourd'hui, je rêve de toi. En fait, je pense à toi depuis le jour où je t'ai embauchée ici. Je n'ai pas osé tenter quoi que ce soit parce que tu voulais que nous soyons amis, et puis tu as flashé sur Marc, j'étais impuissant.

Comme elle se taisait, il fut obligé de conclure.

— Rien qu'un dîner. Laisse-moi essayer.

Elle lui opposait toujours un silence inquiétant.

— Mais si tu veux que je te laisse tranquille, dis-le-moi. Pas question que tu t'en ailles à ton tour parce que je t'aurais mise mal à l'aise. Quelle que soit ta décision, je tiens trop à toi.

Elle n'avait pas senti qu'une girafe s'approchait derrière elle. L'animal baissa la tête, effleura de son museau les cheveux de Julia. Celle-ci, au lieu de sursauter comme l'aurait fait n'importe quelle femme à sa place, se contenta de sourire en secouant la tête.

— C'est Graziella, non ? Elle n'a peur de rien !

Lorenzo acquiesça, souriant, mais il attendait sa réponse.

— Au fond, moi non plus, déclara-t-elle gaiement. Rien qu'un dîner, hein ?

— Oui. Après le départ de Marc.

— Eh bien… pourquoi pas ?

Une boule dans la gorge, Lorenzo la considéra avec un tel soulagement qu'il en eut les larmes aux yeux. Il allait enfin oser la prendre dans ses bras quand son talkie-walkie se mit à sonner. Un soigneur le réclamait chez les ours. Reprenant un ton professionnel, il demanda à Julia :

— Tu m'accompagnes ?

Mais cette fois, il connaissait la réponse.

DU MÊME AUTEUR (*suite*)

Les Sirènes de Saint-Malo, 1997, rééd. 1999, 2006 ; Pocket, 2012
Berill ou la Passion en héritage, 2006 ; Pocket, 2007
Une passion fauve, 2005 ; Pocket, 2007
Les Vendanges de Juillet, 1999, rééd. 2005 ; Pocket, 2009 (volume incluant *Les Vendanges de Juillet*, 1994, et *Juillet* en hiver, 1995)
Rendez-vous à Kerloc'h, 2004 ; Pocket, 2006
Le Choix d'une femme libre, 2004 ; Pocket, 2005
Objet de toutes les convoitises, 2004 ; Pocket, 2006
Les Années passion, 2003 ; Pocket, 2005
L'Héritage de Clara, 2001 ; Pocket, 2003
Le Secret de Clara, 2001 ; Pocket, 2003
La Maison des Aravis, 2000 ; Pocket, 2002
Crinière au vent, éditions France Loisirs, 2000
Terre Indigo, TF1 éditions, 1996
Corrida. La fin des légendes, en collaboration avec Pierre Mialane, Denoël, 1992
Sang et or, La Table ronde, 1991
De vagues herbes jaunes, Julliard, 1974
Les Soleils mouillés, Julliard, 1972

Éditions Belfond :
12, avenue d'Italie
75013 Paris.

Canada :
Interforum Canada, Inc.,
1055, bd René-Lévesque-Est,
Bureau 1100,
Montréal, Québec, H2L 4S5.

ISBN : 978-2-7144-7477-3
Dépôt légal : septembre 2018

Imprimé en France par CPI
en août 2018

Composition et mise en pages
Nord Compo à Villeneuve-d'Ascq

N° d'impression : 3029867